Managementbegriffe

Dr. Georg Kraus

2. Auflage

Haufe

Bibliografische Information der Deutschen Bibliothek

Die Deutsche Bibliothek verzeichnet diese Publikation in der Deutschen Nationalbibliografie; detaillierte bibliografische Daten sind im Internet über http://dnb.ddb.de abrufbar.

978-3-448-07309-6
Bestell-Nr. 00832-0002

1. Auflage 2005 (ISBN 3-448-06545-5)
2., durchgesehene Auflage 2006

Postanschrift: Postfach, 82142 Planegg
Hausanschrift: Fraunhoferstraße 5, 82152 Planegg
Fon: (0 89) 8 95 17-0, Fax: (0 89) 8 95 17-2 50
E-Mail: online@haufe.de
Internet: www.haufe.de
Lektorat: Sylvia Rein
Redaktion: Jürgen Fischer
Redaktionsassistenz: Christine Rüber

Hinweis: Wenn in diesem TaschenGuide von Mitarbeitern, Kollegen oder Partnern die Rede ist, geschieht dies zugunsten der besseren Lesbarkeit und Textkürze. Selbstverständlich sind immer Männer und Frauen gleichermaßen angesprochen.

Umschlaggestaltung: Simone Kienle, Stuttgart
Umschlagentwurf: Agentur Buttgereit & Heidenreich, 45721 Haltern am See
Grafiken im Innenteil: Christoph Konradi, KONRADI Visuelle Kommunikation, 23996 Saunstorf
Druck: freiburger graphische betriebe, 79108 Freiburg

Zur Herstellung der Bücher wird nur alterungsbeständiges Papier verwendet.

TaschenGuides – alles, was Sie wissen müssen

Für alle, die wenig Zeit haben und erfahren wollen, worauf es ankommt. Für Einsteiger und für Profis, die ihre Kenntnisse rasch auffrischen wollen:

- Sie sparen Zeit und können das Wissen effizient umsetzen.
- Kompetente Autoren erklären jedes Thema aktuell, leicht verständlich und praxisnah.
- Sie finden die wichtigsten Fragen und Probleme aus der Praxis.
- Das übersichtliche Layout ermöglicht es Ihnen, sich rasch zu orientieren.
- Beispiele und hilfreiche Tipps bieten Ihnen das nötige Werkzeug für Ihre Arbeit.
- Als Schnelleinstieg in ein Thema ist der TaschenGuide die geeignete Arbeitsbasis für Gruppen in Organisationen und Betrieben.

Ihre Meinung interessiert uns! Mailen Sie einfach an die TaschenGuide-Redaktion unter online@haufe.de.
Wir freuen uns auf Ihre Anregungen.

Vorwort

„Lasst uns ein Kick-Off-Meeting durchführen und dabei den Kanban-Prozess unseres Kaizen-Projekts reviewen." - Sätze wie dieser sind heute im Berufsleben vieler Menschen keine Seltenheit mehr. Denn die Wirtschaftswelt hat sich mittlerweile quasi einen eigenen „Dialekt" zugelegt, der dem, der sich nicht soverän in dieser Welt bewegt, oft das Verständnis erschwert - sei es in Besprechungen, im Kontakt mit Kunden, Agenturen und anderen Geschäftspartnern oder einfach nur beim Lesen des Wirtschaftsteils der Zeitung.

Die „Managementsprache" ist stark und in zunehmendem Maße durch Anglizismen geprägt. Manchmal handelt es sich dabei um Abwandlungen schon bekannter Begriffe, manchmal sind es neu kreierte Worthülsen, manchmal steckt aber auch eine neue, bedeutsame Managementmethode dahinter. Dieser kleine Leitfaden hilft Ihnen bei der Orientierung durch den Dschungel der aktuellen Managementbegriffe. Sie finden hier die gängigsten „Modewörter", aber natürlich auch die wichtigsten Methoden, Instrumente und Prozesse aus Unternehmens- und Mitarbeiterführung, Organisation, Marketing, Produktion, Logistik und Personal erklärt und in ihrer Praxisrelevanz beleuchtet. Damit auch Sie in der nächsten Besprechung „mitreden" können wie ein Profi.

Dr. Georg Kraus

24/7

24 Stunden, 7 Tage die Woche. Die Formel zeigt die ständige Erreichbarkeit an.

800 Pound Gorilla

Aus dem Englischen, wörtlich: 800 Pfund Gorilla. Gemeint ist eine sehr wichtige Person in einer Verhandlung oder in einem Geschäft. Das Gewicht steht also für die Bedeutung.

9-2-5

Nine-two-five, meint: nine-to-five. Aus dem Englischen: neun bis fünf. Ein 'Nine-to-Five'-Job ist eine Stelle, bei der man von neun Uhr morgens bis fünf Uhr nachmittags arbeitet - der klassische Acht-Stunden-Arbeitstag also.

A

Absentismus

Fernbleiben vom Arbeitsplatz bzw. Krankenstand. Ist eine Steuerungsgröße in Unternehmen. Ein hoher Krankenstand wird oft als Indiz für eine Demotivation der Mitarbeiter oder ein Laisser-faire des Managements interpretiert. Man unterscheidet zwischen Fehlzeiten wegen Krankheit aufgrund medizinischer Notwendigkeit (abhängig oder unabhängig vom Arbeitsplatz) und motivationsbedingten Fehlzeiten (abhängig von der Arbeits- oder Lebenssituation).

Ein Instrument der Reduzierung des Krankenstands sind Rückkehrergespräche. Dabei führt der Vorgesetzte mit jedem

Mitarbeiter, der gefehlt hat, ein Gespräch, sobald er wieder im Betrieb ist. Er sagt ihm noch einmal deutlich, dass er gefehlt hat, und erkundigt sich über seinen Zustand. Sollte der Mitarbeiter öfter fehlen, muss er ein weiteres Gespräch mit seinem Vorgesetzten und dem Betriebsrat (falls vorhanden) führen. Dabei wird ihm mitgeteilt, dass er mit seinen Fehlzeiten weit über dem Schnitt liegt. Er muss darlegen, wie er versuchen wird, dies in den Griff zu bekommen. Die Praxis zeigt, dass diese Maßnahmen eine Reduzierung des Absentismus um 2 – 3 % bewirken.

Ad Click

Aus dem Englischen: advertisement = Werbung, click = anklicken. Werbeeinblendungen im Internet können angeklickt werden und leiten dann den Besucher auf die Website des Werbenden („Werbeklick"). Bei den ad clicks wird gezählt, wie viele Besucher einer Seite ein dort geschaltetes Banner anklicken und sich zu dem dahinter stehenden Angebot weiterleiten lassen.

Added Value

Aus dem Englischen, wörtlich übersetzt: addierter Wert.

Zusatzwert eines Produkts. Mit einem added value wird ein Produkt im Vergleich zum Produkt der Konkurrenz hochwertiger und somit attraktiver. Es handelt sich um den Mehrwert des Produkts, der seinen Preis rechtfertigt. Wenn z. B. ein Automobilhersteller eine Sonderausstattung in den Serienumfang übernimmt, hat er ein added value erzeugt. Das

Gleiche gilt, wenn rund um das Produkt Dienstleistungen angeboten werden.

Oft werden zahlreiche added values definiert, die aber nicht immer vom Kunden registriert und honoriert werden, insbesondere dann, wenn im direkten Wettbewerb nur der Preis des Produkts verglichen wird. Der Einsatz von added values sollte deshalb immer unter der Berücksichtigung der Frage entschieden werden, ob sie vom Kunden bemerkt und honoriert werden.

Advertorial

Aus dem Englischen: Verschmelzung von advertisement (Anzeige) und editorial (redaktioneller Beitrag). Es handelt sich um eine als normaler Zeitungsartikel „getarnte" Werbeanzeige. Sie ähnelt in Aufmachung und Stil dem redaktionellen Umfeld. Sie kann deshalb gegen das deutsche Presserecht verstoßen, das eine klare Trennung von redaktionellem Inhalt und Werbung verlangt.

Es gibt noch die Verpflichtung diese als Anzeige zu kennzeichnen. Wenn diese Kennzeichnung jedoch geschickt platziert ist, fällt diese gar nicht auf und die Anzeige geht als „Testbericht" oder redaktioneller Beitrag durch.

Affinitätsprogramme

Programme, die für Kundenbindung sorgen sollen, also Belohnungssysteme für besonders treue Kunden. Bei jedem Kauf werden Punkte, Meilen oder Einheiten einer ähnlichen „Sonderwährung" gesammelt, die später gegen ein Produkt eingetauscht werden können.

AKV

Aufgaben, Kompetenzen, Verantwortung einer Stelle. Oft im Zusammenhang mit Rollendefinitionen/-klärungen verwendet. Folgendes Beispiel zeigt das AKV eines Projektleiters:

Aufgaben	Kompetenzen	Verantwortung
▪ Teamzusammensetzung in Abstimmung mit dem Projektausschuss und den jeweiligen Linienvorgesetzten ▪ Formulierung des Projektantrags als Grundlage für den Auftrag ▪ Leitung der Teamsitzungen ▪ Planung und Koordination des Projekts ▪ Kosten-, Termin- und Ergebniskontrolle ▪ Dokumentation des Projekts	▪ Mitbestimmung bei der Auswahl von Teammitgliedern ▪ Teamsitzungen definieren ▪ Zugang zu allen, für das Projekt relevanten Informationen ▪ Wichtige Entscheidungen einfordern ▪ Prioritäten setzen bei der Projektabwicklung ▪ Ergebniskontrolle	▪ Zielführende Ergebnisse der Teamsitzung ▪ Zielführende Ergebnisse der Teamsitzung ▪ Berichterstattung an den Projektausschuss ▪ Vollständigkeit der Projektdokumentation ▪ Erfüllung der Termin- und Kostenziele ▪ Rechtzeitige Information des Projektausschusses über Abweichungen oder Schwie-

▪ Mit Projektausschuss und Auftraggeber Kontakt halten ▪ Konfliktklärung bei der Projektarbeit	▪ Was getan werden soll und bis wann es erledigt sein muss ▪ Entscheidungen innerhalb des vorgegebenen Zielrahmens	rigkeiten im Projekt ▪ Darstellung der Projektrisiken ▪ Vertrauensvoller Umgang mit projektinternen Informationen

Insbesondere in Projekten sind die Rollen der Beteiligten oft unklar. Nehmen Sie das AKV-Modell als Grundlage zur Definition der Rollen des Projektleiters, des Lenkungsausschusses und der Teammitglieder.

ALARP

As Low As Reasonably Possible: der niedrigste vertretbare Ansatz, oft auch als „Minimalansatz" bezeichnet. Wird oft im Zusammenhang mit Kosteneinsparungen verwendet.

Es besteht bei allen Produkten die Gefahr, dass diese im Laufe der Zeit „hochgezüchtet" werden, d. h. dass alle Kundenwünsche und Sonderanforderungen aufgenommen werden. Das Produkt kann dann zwar alles, ist aber nicht mehr bezahlbar. Ein Beispiel ist die Entwicklung des VW Golfs: Ursprünglich war er ein Fahrzeug der Einstiegsklasse. Der Golf V ist schon eher ein Mittelklassewagen. Die Einsteigerkäuferschicht musste zu anderen Produkten abwandern. Die Wertanalyse ist eine gute Methode zur Überprüfung der notwendigen Produktmerkmale.

Alignment

Aus dem Englischen: Ausrichtung, Linienführung. Der Begriff kann z. B. auf Personal bezogen werden, etwa als Team-Alignment. Ein Team „alignen" bedeutet in diesem Fall, ein Team auf die definierte Strategie auszurichten. Die Mitarbeiter sollen dabei verstehen, was die Zielsetzungen sind und entsprechend handeln. Je turbulenter das Umfeld ist, desto größer ist das Risiko, dass Mitarbeiter sich orientierungslos fühlen und Frustration entsteht. Umso wichtiger ist es, die Mitarbeiter immer wieder auf die Unternehmensziele oder Bereichsziele auszurichten. Scheuen Sie sich nicht, Besprechungen einzuberufen, um Ihren Mitarbeitern Ihre Zielrichtung zu kommunizieren.

Ampelbewertung

Kontrollinstrument zur Projektüberwachung. Die symbolische Ampel informiert über den Projektfortschritt: Grün bedeutet, dass alles wie geplant läuft. Gelb bedeutet, dass mittlere Probleme auftreten, Zeitverzug absehbar ist und Entscheidungsbedarf besteht. Rot bedeutet, dass schwere dringliche Probleme auftreten, bereits Zeitverzug und sofortiger Lösungs- oder Entscheidungsbedarf besteht.

Berichte an das Management müssen kurz und bündig sein. Die Hauptaussage sollte sein: Läuft es oder besteht Handlungsbedarf? Leider sind die meisten Berichte zu textlastig. Auf vielen Seiten wird der Status des Projekts beschrieben, oft so aufwändig, dass es keiner mehr liest. Weniger ist oft mehr!

Beispiel eines Projektsberichts mit Ampelbewertung:

Projekt Statusbericht Nr.	
Auftragsnummer:	Status: 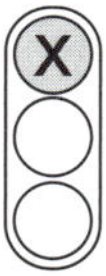
Datum:	
Datum letzter Statusbericht:	
Projekt:	
Werk:	Fertigstellungsgrad: 0%
Projektleiter:	Nächster Meilenstein:
Verteiler:	Endtermin:
Neues im Berichtszeitraum:	
Probleme/Risiken:	
Zu entscheiden:	

Appraisal of Potential (AOP)

Aus dem Englischen: Potenzialeinschätzung, z. B. von Mitarbeitern. Sie soll zu mehr Effektivität in den Personalauswahlverfahren beitragen und der Mitarbeiterförderung im Rahmen der Personalentwicklung dienen. Eine sorgfältig vorbereitete und professionell durchgeführte Potenzialanalyse soll personelle Fehlentscheidungen vermeiden und zu einer möglichst großen Übereinstimmung zwischen aufgabenbezogenem Anforderungsprofil und Qualifikationsprofil des jeweiligen Arbeitsplatzinhabers führen.

Lassen Sie bei jeder Beförderung oder Einstellung ein AOP durchführen. Es bestätigt entweder Ihre persönliche Einschätzung oder bewahrt Sie vor einer Fehlbesetzung.

Beispiel für das Ergebnis einer Potenzialanalyse:

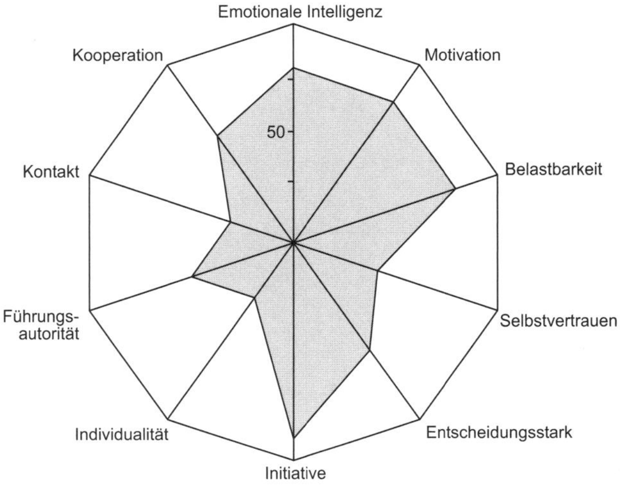

APQP

advanced product quality planning, fortgeschrittene Produkt-Qualitätsplanung. Vorschrift der US-Automobilindustrie zur Absicherung der Produktentwicklung.

APQP ist vor allem in der Zusammenarbeit mit Ford oder GM zur Pflicht geworden. In der Zwischenzeit verlangt fast jeder Automobilhersteller von seinen Zulieferern, dass sie sich an eine bestimmte Projektabwicklungsmethodik halten. Dies macht es für Zulieferer, die an verschiedene Kunden liefern, häufig schwierig: Sie müssen verschiedene Verfahren im eigenen Unternehmen beherrschen. Sinnvoll sind hier so genannte „Übersetzungstabellen" für die Projektleiter, aus denen hervorgeht, welche Meilensteinbezeichnung des jeweiligen Automobilherstellers welche Bedeutung hat und mit welchem Meilenstein des eigenen Projektprozesses verglichen werden kann.

APQP besteht aus folgenden Schritten:

Nr.	Prozessschritte (APQP)
1	Customer Input Requirements
2	Sourcing Decision
3	Team Feasibility Commitment
4	Design FMEA, Drawings and Specs.
5	Design FMEA
6	Subcontractor APQP-Status
7	Design Verification Plan and Report
8	Prototype Build Control Plan
9	Prototype Build
10	Facilities, Tools and Gages

11	Manufacturing Process Flow Chart, Packaging Specification
12	Design Review
13	Drawings and Specs.
14	Prototype Builds
15	Design Verification Plan and Report
16	Design FMEA
17	Prototype Builds
18	Design Verification Plan and Report
19	Design Review
20	Production Control Plan
21	Drawings and Specs.
22	Manufacturing Process Flow Chart
23	Process FMEA
24	Subcontractor APQP-Status
25	Team Feasibility Commitment, Design Review
26	Production Validation Test
27	Pre Launch Control Plan
28	Measurments Systems Evaluation
29	Production Trial Run
30	Operator Process Instruction
31	Production Trial Run
32	Production Control Plan
33	Production Part Approval
34	PSW Part Delivery at MRD
35	Preliminary Process Capability Study

Assessment Center (AC)

Aus dem Englischen: assessment = Einschätzung, Bewertung. Leicht missverständliche Verwendung, denn es handelt sich nicht um ein Bewerbungs-Center, sondern um ein Auswahlverfahren von Bewerbern. In der Regel wird ein AC mit mehreren Bewerbern gleichzeitig durchgeführt, es gibt aber auch „Einzel-ACs".

Standardablauf eines Assessment Centers zur Personalauswahl:

1 Anforderungsanalyse: Zunächst sind die Anforderungen an die zu besetzende Stelle zu definieren.
2 Konstruktion des Verfahrens: Dann ist festzulegen, mit welchem methodischen Verfahren die Teilnehmer beurteilt werden sollen.
3 Information von Interessengruppen (Führungskräfte, Betriebsräte etc.): In einem dritten Schritt sind weitere Interessensgruppen in den Prozess einzubinden.
4 Schulung von Beobachtern und Rollenspielern: In der Regel werden interne Beobachter ausgewählt und geschult, die die Teilnehmer beurteilen sollen. Nur so kann eine einheitliche Rückmeldung gewährleistet werden.
5 Information der Bewerber: Bewerber werden über den Ablauf und die Zielsetzung des AC informiert.
6 Durchführung des Verfahrens: Das Verfahren soll klar, strukturiert und zeitlich präzise ablaufen, wie im Zeitplan festgelegt. Anschließend erfolgt die Konferenz der Beobachter.
7 Erstellung von Teilnehmerprofilen: Ein qualifiziertes Profil zeigt die Schwächen und Stärken des Teilnehmers anhand des Anforderungsprofils auf.

8 Rückmeldung an die Teilnehmer: Der Teilnehmer soll sich danach darüber im Klaren sein, warum er eine Empfehlung für eine Position bekommt oder nicht.

9 Rückmeldung an den Auftraggeber: Die Ergebnisse werden dem Auftraggeber präsentiert. Dieser kann daraufhin seine Entscheidung treffen.

10 Evaluation des Verfahrens: Hat sich der Aufwand gelohnt? Bringen die Mitarbeiter die erwartete Leistung?

Unter einem Assessment Center wird meistens das „große Paket" verstanden, was bedeutet, dass zahlreiche Teilnehmer eingeladen, ein Beratungsunternehmen eingeschaltet wird usw. Dies muss jedoch nicht immer so sein. Es ist durchaus möglich, dass Sie auch bei einer internen Stellenbesetzung im kleinen Rahmen einige Kriterien festlegen, anhand derer interne Kandidaten geprüft werden. Je strukturierter Sie auch bei anstehenden Beförderungen ACs durchführen, desto geringer ist das Risiko, dass Sie Personen auf Positionen bringen, die dafür eigentlich nicht geeignet oder überfordert sind.

Ast-Scheren-Methode

Mit dieser Methode versucht man, strukturiert herauszufinden, welche Aufgaben „abgeschnitten" werden müssen, um Kosten einzusparen und bessere Erträge zu erzielen - wie bei einem guten Obstbaumschnitt. Dabei werden die Leistungen im Unternehmen nach folgenden Kriterien bewertet:

- Wie profitabel ist diese Leistung?
- Wie stark wird diese Leistung abgefragt?
- Wie hoch ist die Qualität dieser Leistung?
- Was passiert, wenn wir diese Leistung nicht mehr erbringen?
- Können wir diese Leistung extern günstiger beziehen?

Die Astscherenmethode ist oft wirksamer als die „Rasenmähermethode", verlangt aber eine intensive Auseinandersetzung mit den Leistungen des Unternehmens.

Außenrotation

Mitarbeiter werden für eine begrenzte Zeit in eine für das Unternehmen bzw. den Arbeitsplatz wichtige Organisation (z. B. Kunde, Lieferant oder Behörde) entsandt, um dort vor- oder nachgelagerte Aufgaben zu übernehmen. Damit werden Gesamtzusammenhänge erkannt und Kundenbeziehungen verbessert.

Außenrotationen werden viel zu selten gemacht. Da vielen Mitarbeitern der Bezug zum Kunden fehlt, ist es sinnvoll, dass jeder Mitarbeiter ein paar Wochen im Vertrieb tätig ist, um zu verstehen, wie das Produkt im Markt „wirkt". Als sehr wirksam hat sich z. B. auch der Einsatz von Produktionsmitarbeitern in der Reklamationsabteilung erwiesen. Sie werden auf diese Weise sensibler für die Produktqualität.

B

Balanced Score Card (BSC)

Kaplan und Norton haben 1997 ein Steuerungsmodell für Unternehmen entwickelt mit dem Ziel, ein ausgewogenes Verhältnis der Steuerungsgrößen in Unternehmen zu erreichen. Ausgehend von der Strategie werden Messgrößen definiert, die die Leistungsfähigkeit des Unternehmens darstellen.

In den meisten Fällen werden Unternehmen rein nach finanztechnischen Kennzahlen geführt (Gewinn, Umsatz, Rendite etc.). Kaplan und Norton haben festgestellt, dass es sehr gefährlich und einseitig ist, Unternehmen damit zu steuern, aber auch zu bewerten. Ein Unternehmen könnte z. B. einige Jahre sehr gute Gewinne einfahren, indem die Aufwendungen in die Neuentwicklung von Produkten drastisch gekürzt werden. Die Folge davon wäre erst später zu spüren. Ebenso könnte ein Unternehmen die Gewinne erhöhen, indem es die Kosten für die Weiterbildung der Mitarbeiter extrem reduziert. Auch hier sind die Folgen nicht mittelbar zu spüren, aber dennoch gravierend, da die „Qualität" der Mitarbeiter sinken wird. Deshalb sollten folgende vier Kategorien bei der Steuerung des Unternehmens betrachtet werden: Finanzen, Markt/Produkte, Prozesse und Human Ressources/Entwicklung. Die Balanced Score Card eignet sich sehr gut als Basis für einen unternehmensinternen Zielvereinbarungsprozess.

Beispiel eines Zielvereinbarungsprozesses mit der BSC Logik:

BSC	Ziele	Mess-größen	Maß-nahmen	Gewich-tung	Zielerrei-chung in %
Finanzen					
Markt					
Prozesse					
Human Ressources					
			Summe	%	%

Dabei werden Ziele zu den vier Kategorien der Balanced Score Card definiert. Diese werden mit einer Messgröße konkretisiert, es werden Maßnahmen/Aktionen definiert, die zum Erreichen dieser Ziele im Laufe des Jahres eingeleitet werden müssen. Es besteht auch die Möglichkeit die Ziele zu gewichten. Am Ende des Jahres kann dann die Zielerreichung gemessen werden.

BCG Portfolio

Das Boston Consulting Portfolio ist eine Darstellung, die oft zur Analyse des Produktportfolios verwendet wird. Ziel ist es zu erkennen, wie sich das zukünftige Produktportfolio strategisch zusammensetzen soll. Dieses Portfolio wurde sehr stark von der Boston Consulting Unternehmensberatung eingesetzt, weshalb sich dieser Name eingebürgert hat.

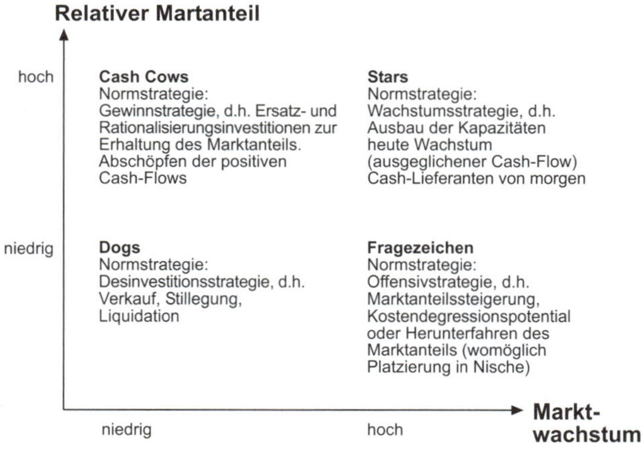

Nehmen Sie sich in bestimmten Abständen Zeit, sich Ihr Produktportfolio anzuschauen. Dies ist eine der wichtigsten strategischen Aufgaben des Managements. Trauen Sie sich aber auch zu, sich von bestimmten Produkten zu trennen. Das Problem vieler Unternehmen ist ein „Bauchladen" mit vielen unrentablen Produkten.

Benchmarking

Benchmarking ist ein kontinuierlicher, systematischer Prozess zum Vergleich der Arbeitsprozesse von Organisationen, die → best practice repräsentieren. Ziel ist es, die eigene Organisation zu verbessern. Ein erfolgreiches Benchmarking hat folgende Voraussetzungen bzw. Bestandteile:

- Kenntnis der Prozesse im eigenen Unternehmen,
- Kenntnis der eigenen Schwächen,
- Aufspüren der best practices,
- Umsetzung der Ergebnisse durch Anpassung an die Umgebung im eigenen Unternehmen.

Es gibt unterschiedliche Arten von Benchmarking:

1. Produktorientiertes Benchmarking
Hier ist das Ziel, die Produkte des Wettbewerbers zu analysieren, um Verbesserungspotenziale am eigenen Produkt zu erkennen.

2. Prozessorientiertes Benchmarking
Hier werden Produkte sowie zu deren Herstellung notwendige Prozesse erfasst. Hier ist das Ziel, die Prozesse im eigenen Unternehmen zu verbessern und somit die Leistungsfähigkeit zu erhöhen.

Der Benchmark kann wettbewerbsorientiert sein - dann werden Produkte oder Prozesse mit Unternehmen der gleichen Branche analysiert - oder generisch, dann werden Unternehmen anderer Branchen mit ähnlichen Prozessen herangezogen. Folgende Schritte sind bei einem Benchmark zu beachten:

- Bestimmung des Benchmarking-Objekts
- Beschreibung und Analyse
- Suche nach Benchmarking-Partnern
- Analyse der Unterschiede
- Maßnahmenplanung
- Sicherung der Ergebnisse

Best Practice

Aus dem Englischen: beste Verfahrensweise, bester Prozess zur Erbringung einer bestimmten Leistung.

Meist lässt sich über ein Benchmarking herausfinden, was das best practice ist. Scheuen Sie sich nicht, in bestimmten Abständen eigene Verfahren in Frage zu stellen und zu überprüfen, wer in der Branche zu diesem Thema Ideen erfolgreich umgesetzt hat.

BIMBO

Kombination von → Management-Buy-In und → MBO Management-Buy-Out. Es bedeutet, dass das Management des Unternehmens und ein externes Management das Unternehmen kaufen. Das Management von außen bringt intern nicht vorhandenes Managementwissen oder fehlendes Kapital mit.

Oft ist BIMBO eine gute Kombination für eine Firmenübernahme. Als Beteiligte von außen kommen dabei so genannte Business Angels in Frage. Dabei handelt es sich um Personen, die Kapital zur Verfügung haben sowie Erfahrung besitzen und beides in interessante Unternehmen investieren wollen.

Black Belt

Aus dem Englischen: Schwarzer Gürtel. Der Begriff stammt aus dem Judo und meint im übertragenen Sinne einen Mitarbeiter, der in der Qualitätsmanagement-Methode → Six Sigma ausgebildet ist und als Experte dieser Methode gilt.
Sinnvoll ist es, einige Mitarbeiter des Unternehmens, insbesondere aus der Produktion, zu black belts ausbilden zu lassen. Diese sollen dann die Six Sigma-Methode im Unternehmen fördern.

Break-Even-Analyse

Aus dem Englischen. Als Break Even man bezeichnet das Umsatzvolumen, ab dem ein Unternehmen in die Gewinnzone gelangt. Bis zum Erreichen des Break-Even-Punkts reichen die Deckungsbeiträge nicht aus, um die anfallenden Fixkosten des Betriebs zu decken.

Beispiel einer grafischen Break-Even-Analyse:

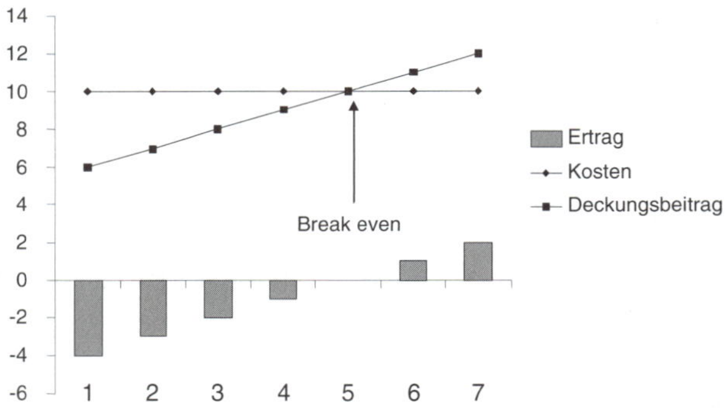

Ein häufiger Fehler ist, dass die Umsätze zu hoch und zu schnell eingeplant werden. Besser ist es, die Umsätze eher zu konservativ als zu optimistisch zu planen. Des weiteren wird oft vergessen, dass es über die Zeit auch eine so genannte „Preiserosion" gibt. Dieses Phänomen ist z. B. sehr stark in der Elektronikindustrie festzustellen: Ein heute gekaufter Computer ist morgen schon billiger zu haben. Wenn der Umsatz das Produkt aus Stück mal Preis ist und der Preis „unter Druck kommt", sinkt logischerweise der Umsatz und somit auch der Deckungsbeitrag.

Business Plan

Aus dem Englischen. Der Businessplan beschreibt die Geschäftsidee, das Konzept und die Ziele eines Projekts oder einer Unternehmensentwicklung. Er dient dazu, Investoren von einem Projekt oder Unternehmen zu überzeugen und sie für die Finanzierung zu gewinnen.

Ein Businessplan besteht aus folgenden Inhalten:

- Management Summary
- Marktübersicht
- Beschreibung des Markts
- Status quo
- Perspektiven
- Beschreibung der Geschäftsidee
- Wettbewerber
- → SWOT-Analyse
- "Why buy" (Kundensicht)
- Warum oder warum nicht in dieses Geschäft einsteigen?
- Marktzugangsstrategie
- Umsatz- und Kostenplanung mit folgenden Inhalten:
  - Personalplanung (Anzahl, Gehälter, Lohnnebenkosten, Gehaltssteigerungsraten)
  - Materialkostenplanung und Preiskalkulation
  - Umsatzplanung für drei Jahre
  - Investitionsplan und Abschreibungsplanung
  - Kosten aller notwendigen Positionen für den Start (Räume, Lager, Maschinen, Fahrzeuge, Schulungskosten, Beratungskosten usw.)
  - GuV-Plan

  - Liquiditätsplan
  - Cashflow-Planung
  - Kapitalbedarfsermittlung
- drei Szenarien (best, worst, real)
- Mitarbeiter mit Qualifikationen, die in Zukunft benötigt werden
- Meilensteinplanung = Konkretisierung der Strategie
- Welche Entscheidungen müssen getroffen werden?

Achten Sie darauf, bezüglich der Einnahmen eher konservativ zu planen und bei den Kosten einen Puffer für Unvorhergesehenes aufzunehmen. Die meisten Businesspläne sind viel zu optimistisch ausgelegt.

Business Process Reengineering

Hammer und Champy haben 1993 mit Ihrem Buch „Business reengineering" diesen Trend ausgelöst. Ziel ist die Erhöhung der Kundenzufriedenheit und die Verbesserung der Leistungsfähigkeit des Unternehmens in einer revolutionären Größenordnung. Dabei soll das Geschäftsmodell fundamental neu durchdacht werden, um das Unternehmen auf die neuen Anforderungen des Markts auszurichten. Dies wird durch eine radikale Erneuerung aller Unternehmensprozesse mit dem Ziel entscheidender Vereinfachung und damit Kostenreduktion und Qualitätssteigerung angestrebt.

Die Konzeption ist in ihrer grundlegenden Ausprägung → top-down orientiert und verspricht vor allem dann Erfolg, wenn hoher Veränderungsdruck die Wahrnehmung bestimmt, also in der Krise.

Die Kernthemen sind:

- die Orientierung an den kritischen Geschäftsprozessen (Kernprozesse),
- die Ausrichtung der kritischen Geschäftsprozesse am Kunden (Fokus „Kunde"),
- die Konzentration auf die → Kernkompetenzen (core competence),
- die Nutzung modernster Informationstechnologien.

Reengineeringkonzepte sind von der Vorgehensweise sehr mechanistisch. Der Mensch spielt eine eher untergeordnete Rolle. Der Schwerpunkt liegt darin, das Unternehmen strategisch neu zu modellieren und strukturieren. Dabei geht der → Change Manager in vier Schritten vor:

- Positionierung
- Prozessbeschreibung
- Prozessredesign
- Controlling

Die meisten BPR-Projekte scheitern, da dem oberen Management häufig der Mut fehlt, die Konzepte auch wirklich zu verwirklichen. Es bleibt somit oft bei Gedankenspielen.

C

Cappuccino-Worker

Ein Arbeitnehmer, der Jobs bei verschiedenen Auftraggebern hat. Die Zusammensetzung ist wie bei einem Cappuccino: Der Hauptjob, der die Miete sichert, entspricht dem schwarzen Kaffee. Dazu kommen als Milchschaum Nebenjobs und als Schokopulver unregelmäßige Sonderprojekte.

Der Trend zum Zweitjob ist mittlerweile unverkennbar. Wenn Sie sich mit diesem Gedanken tragen, klären Sie mit Ihrem Arbeitgeber im Vorfeld ab, ob er dem zustimmt. Lassen Sie sich dies schriftlich durch die Personalanteilung bestätigen.

Case for Change

Aus dem Englischen: a case for something = es besteht eine Notwendigkeit, change = Veränderung. Hiermit wird der Grund für eine Veränderung bezeichnet - eine ganz wichtige Frage, die man sich bei jedem Veränderungsprojekt stellen sollte. Folgende Fragen helfen bei der Beantwortung:

1. Was ist am bisherigen Produkt, Prozess oder Ablauf schlecht?
2. Was ist das Gute am bisherigen Status?
3. Warum wollen wir eine Veränderung?

Case study

Aus dem Englischen: Fallstudie. Bei einer case study wird eine Situation genau analysiert und die daraus gewonnen

Erfahrungen auf ein anderes Vorhaben übertragen. Dabei werden in der Regel folgende Aspekte betrachtet:

Fallstudien eignen sich hervorragend, um bestimmte Ideen zu konkretisieren und die Rahmenbedingungen besser zu verstehen. Insbesondere bei größeren Projekten empfiehlt es sich, eine Fallstudie anfertigen zu lassen.

Casual Friday

Aus dem Englischen. Gemeint ist ein Trend, der aus Amerika nach Europa übergreift. Unternehmen lockern am Freitag die strenge Kleiderordnung: Statt Anzug mit Krawatte sind den Mitarbeitern dann auch T-Shirt und Turnschuhe erlaubt.

Der Casual Friday ist eine gute Möglichkeit, durch Kleidung die Arbeitsatmosphäre zu entspannen. Regeln Sie jedoch im Vorfeld, dass Mitarbeiter, die Kundenkontakt haben, davon ausgenommen sind.

Change Management

Aus dem Englischen. Es handelt sich um ein zunehmend angewendetes Betätigungsfeld, das sich mit der zielgerichteten Veränderung und Entwicklung von Organisationen beschäftigt. Dazu gehören z. B. Strategieentwicklung, Organisationsdiagnosen und Begleitung von Veränderungsprozessen.

Organisationen befinden sich in einem permaneten Wandel. Veränderungen der Aufgaben und Prozesse kommen immer schneller auf die Menschen zu. Hier können Ängste, innere

Blockaden, aber auch Widerstand gegen die Veränderungen entstehen. Folgende Ängste sind oft anzutreffen (nach Klaus Doppler):

- Lohn/Gehalt: Einkommenseinbußen
- Sicherheit: Verlust des Arbeitsplatzes, Übernahme neuer Aufgaben
- Kontakt: Angst, dass gute persönliche Beziehungen verloren gehen oder dass man in ein "schwieriges Umfeld" versetzt wird
- Anerkennung: Überforderung, schlechter Ruf der neuen Funktion
- Selbstständigkeit: Wird der Handlungsspielraum und die Entscheidungsbefugnis kleiner?
- Entwicklung: Kann das neue Umfeld Lernbedürfnisse und Karriereambitionen befriedigen?

Mitarbeiter reagieren dabei oft entweder mit „Winterschlaf", indem sie Dienst nach Vorschrift machen und nur noch bedingt den Anweisungen ihres Vorgesetzten folgen, oder mit operativer Hektik, bei der Aktionismus den Tag prägt, Projekte generiert werden, überall mitgemischt wird, um in einem guten Licht zu erscheinen. Beide Verhaltensmuster sind eher kontraproduktiv und gefährden das operative Geschäft. Dieses läuft aber weiter und muss sichergestellt werden. Insbesondere zum Thema Organisationsdiagnose ist es deshalb empfehlenswert, einen erfahrenen Berater einzubinden, weil der Blick von außen hilft, Dinge aufzudecken, für die man selbst blind ist.

Folgende Grundsätze sind bei Change-Prozessen zu beachten:

- Nicht nur die Führungskräfte im Fokus sehen, sondern auch die Mitarbeiter.
- Der Auswahlprozess der Führungskräfte und Mitarbeiter, die gehen und die bleiben, muss transparent sein.
- Das Informations- und Kommunikationskonzept ist sehr wichtig.
- Sauberes Projektmanagement ist notwendig.
- Die Spielregeln der Veränderung müssen klar sein und gelebt werden.
- Ängste müssen aufgefangen werden. Würdigung und Trauerarbeit gehören auch dazu.
- Die Identifikation mit der neuen Organisation muss hergestellt werden.

Claimmanagement

Eine Vorgehensweise, bei der ein Unternehmen in einem Projekt versucht, seine Interessen maximal durchzusetzen. Fehler oder Unachtsamkeiten des Kunden werden in Zusatzforderungen umgewandelt.

Claimmanagement wird bei hart umkämpften Aufträgen immer wichtiger. Schulen Sie Ihre Mitarbeiter darin, es professionell umzusetzen.

Aus Lieferantensicht bedeutet dies, Verträge so zu gestalten, dass sämtliche Änderungswünsche zu Mehrkosten führen.

Dies sieht in der Regel so aus, dass dem Kunden extrem günstige Angebote gemacht werden. Nachdem er bestellt und womöglich noch eine Anzahlung geleistet hat, ist er sozusagen „gefangen". Wenn er Änderungswünsche hat, werden diese nur gegen zusätzliche Bezahlung umgesetzt. Ein Beispiel: Ein Bauherr hat mit einem Bauunternehmen einen sehr günstigen Preis für die Errichtung seines Hauses ausgehandelt. Nun hat er während der Bauphase Änderungswünsche. Er will andere Fliesen im Bad haben. Daraufhin verlangt der Bauunternehmer nun das Doppelte des normalen Fliesenpreises.

Aus Kundensicht heißt dies, Verträge so zu gestalten, dass sämtliche Änderungswünsche nicht zu Mehrkosten führen. In der Regel werden die Leistungsanforderungen am Anfang eher heruntergespielt und im Laufe des Projekts durch Nachforderungen oder Reklamationen erhöht. Ein Beispiel: Ein Kunde bestellt eine Telefonanlage für einen günstigen Preis unter der Versicherung, dass er ja nur eine einfache Anlage benötigt, „die funktioniert". Nach der Installation beschwert er sich, weil bestimmte Leistungsmerkmale nicht vorhanden sind, und erreicht, dass der Lieferant (um den Kunden zufrieden zu stellen) die zusätzlichen Leistungen kostenlos nachliefert.

Co-Branding

Aus dem Englischen: brand = Marke. Gemeint ist damit der gemeinsame Auftritt von mehreren Marken, die z. B. als Sponsoren einer Veranstaltung zusammenarbeiten. Co-Branding soll die positiven Merkmale einer Marke auf die jeweils anderen übertragen.

Überlegen Sie sich genau, mit wem Sie ein Co-Branding durchführen. Sollte die andere Marke in Verruf kommen, kann sich dies auch negativ auf Ihre Marke auswirken.

Coaching

Aus dem Englischen. Im ursprünglichen Sinn des Wortes ist einfach „trainieren" gemeint. Daraus hat sich die auf Einzelpersonen zentrierte Beratung entwickelt. Coaching kann Führungskräften helfen, ihre Situation zu reflektieren und die richtigen Entscheidungen daraus abzuleiten. Typische Gründe für Coaching sind:

- Ich würde gerne meine berufliche oder private Situation mit jemandem besprechen.
- Ich möchte eine Rückmeldung bekommen, wie mein Führungsverhalten auf andere wirkt.
- Ich stehe oft unter Stress und suche nach einer Lösung.
- Auf eine neue Aufgabe, die in Kürze auf mich zukommt, würde ich mich gerne zusammen mit jemandem vorbereiten.
- Ich habe relativ viel erreicht in meiner Position, doch wie die Dinge augenblicklich liegen, weiß ich nicht, ob das meine Zukunft sein soll.
- Ich habe aus meiner näheren Umgebung einige Hinweise erhalten, dass es bei mir Veränderungsbedarf gibt. Dies will ich mit jemandem besprechen.

- Ich bin etwas ausgebrannt, meine Leistungsbilanz gibt Anlass zur Besorgnis.
- Ich habe Konflikte mit meinen Mitarbeitern.
- Ich möchte mein Führungshandeln strategisch wirksamer ausrichten.

Coaching hat immer noch den Beigeschmack, dass derjenige, der es in Anspruch nimmt, ein Defizit hat, also nur für den notwendig ist, der sein Geschäft nicht im Griff hat. Genau das Gegenteil ist der Fall! Scheuen Sie sich nicht, Ihr Verhalten und Ihre Ideen mit einem Profi zu reflektieren. Dies ist eher ein Zeichen von Professionalität und kann Ihnen helfen, Ihre „blinden Flecken" aufzudecken.

Competitive Intelligence

Aus dem Englischen: Informationen über die Konkurrenz. Competitive Intelligence bewegt sich im Grenzbereich zwischen legalen und vertraulichen Informationen über den Wettbewerber.

Es gibt am Markt so genannte Info-Broker, deren Geschäftsmodell es ist, alle möglichen legalen Informationen über Unternehmen zu beschaffen. Sollten Sie sich über einen Wettbewerber schlau machen wollen, ist ein Info-Broker sicher eine gute Adresse.

Core Competence

Kernkompetenz. Die Leistungen, die ein Unternehmen bestimmen und von ihm selbst erbracht werden sollten.

Jedes Unternehmen sollte sich über seine Kernkompetenz im Klaren sein. Dabei helfen folgende Fragen:

1 Welche Leistungen unterscheiden uns vom Wettbewerber und machen uns einzigartig?
2 Welches Wissen darf unser Unternehmen nicht verlassen?
3 Welche Leistungen sind für den Wettbewerb schwer nachzumachen?

Corporate Design (CD)

Aus dem Englischen. Ein einheitliches, für das Unternehmen gleichbleibendes, optisches Erscheinungsbild, z. B. Firmenlogo, prägnante Schriftzüge, typische grafische Gestaltung usw., das den Wiedererkennungswert ausmacht. Die systematische Gestaltung aller visuellen Elemente eines Unternehmens heißt Corporate Design.

In Zeiten von PC und Laptop passiert es schnell, dass jeder Mitarbeiter sich seine eigenen Vorlagen bastelt. Dies fängt bei der E-Mail-Signatur an und hört bei Briefköpfen auf. Achten Sie insbesondere bei digitalen Vorlagen darauf, dass diese immer aktuell und einheitlich sind und jeder Mitarbeiter weiß, wo er sich diese beschaffen kann.

Corporate Identity (CI)

Aus dem Englischen. Gemeint ist damit Identität und Selbstverständnis des Unternehmens einschließlich der Unternehmenskommunikation und der Verhaltensweisen der Mitarbeiter. Häufig wird die CI in den Unternehmensleitlinien definiert.

Die Basis der CI ist ein gemeinsames Verständnis dessen, was das Unternehmen ausmacht und womit sich der Mitarbeiter identifiziert. Unternehmensleitlinien zu erstellen, ist zwar lobenswert, dies reicht jedoch bei weitem nicht aus. Ganz wichtig ist hier die Kommunikation zwischen der Unternehmensleitung und den Mitarbeitern. Nur wenn der Chef seine Werte immer wieder kommuniziert und vorlebt, kann ein Wertesystem entstehen, mit dem sich die Mitarbeiter identifizieren können.

Cost Driver

Aus dem Englischen: Kostentreiber. Cost Driver bestimmen das Kostenverhalten einzelner Geschäftsprozesse. Sollen Geschäftsprozesse optimiert werden, ist es eine der wichtigsten Aufgaben, Kostentreiber zu identifizieren und zu analysieren.

Oft werden bei Kostenanalysen alle möglichen Kosten analysiert. Vor lauter Bäumen sieht man dann nicht mehr den Wald. Bitten Sie Ihre Mitarbeiter die 3 - 4 wesentlichen Kostentreiber eines Geschäftsprozesses herauszufinden. Wenn Sie diese im Griff haben, sind sicherlich 80 % der Einsparung erzielt.

Customer Care Management (CCM)

Aus dem Englischen: Kundenbetreuung, Vertriebsinnendienst. Gemeint sind die Abteilung und/oder die Personen, die als Ansprechpartner für die Kunden fungieren. Oft sind diese die Schnittstelle zwischen dem Vertrieb, der Entwicklung und der Produktion, oft sind sie aber auch für die Reklamationsbearbeitung verantwortlich.

Die Bedeutung von CCM wächst kontinuierlich. Die Softwareprogramme werden zwar immer leistungsfähiger und können alle Daten erfassen und auswerten. Dies nützt jedoch wenig, wenn die Prozesse im Hintergrund nicht stimmen. Wenn z. B. die Reklamationsquote erfasst wird, sich aber niemand um die Kunden kümmert und Gegenmaßnahmen einleitet, ist dies nicht wertschöpfend. Deshalb sollten zuerst die Prozesse sichergestellt werden und dann eine Software aufgesetzt werden. Sonst bleibt vom CCM nur ein reiner „Datenfriedhof".

D

Data Mining

Aus dem Englischen: „Graben" nach Kundendaten - ob mit oder ohne dessen Wissen. Ziel ist es, von den Kunden ein Benutzerprofil zu erhalten. So soll das Marketing besser auf den einzelnen Kunden ausgerichtet werden.

Data Mining bekommt insbesondere im Zusammenhang mit Kundenbonitätsprüfungen eine größere Bedeutung. Unternehmen haben sich darauf spezialisiert, Kundendaten zu sammeln und am Markt als Informationen anzubieten. Sollten Sie an Endverbraucher Produkte verkaufen, ist Data

Mining sicher eine gute Methode, Bonitätsprüfungen im Hintergrund laufen zu lassen. Die Frage nach dem gläsernen Konsumenten ist jedoch eine ganz andere.

Data Warehouse-System

Aus dem Englischen, wörtlich: Daten-Lagerhaus. Mit diesem Begriff wird Software bezeichnet, die wichtige Unternehmensinformationen speichert und diese entsprechend aufbereitet den Mitarbeitern anbietet.

In vielen Unternehmen sind unterschiedliche Systeme im Einsatz. Sehr oft werden Daten mehrfach erfasst und können nicht gemeinsam ausgewertet werden. Eine „Metadatenbank", die die Daten der einzelnen Systeme zusammenführt, ist für die meisten Unternehmen ein Muss.

Desksharing

Aus dem Englischen: desk = Schreibtisch und to share = teilen. Mitarbeiter haben keinen festen Schreibtisch mehr, sondern setzen sich einfach an den nächsten freien Arbeitsplatz. → Morphing Office

Due Dilligence (DD)

Aus dem Englischen, wörtlich: nötige Sorgfalt. Bezeichnet die genaue Prüfung eines Unternehmens durch Investoren als Basis von Investitionsentscheidungen. Due Dilligence ist ein fester Bestandteil der Unternehmensbewertung bei einem bevorstehenden Börsengang. Folgende Aufstellung stellt verkürzt dar, welche Punkte in einer DD geprüft werden:

- Rechtliche Verhältnisse und Kapitalstruktur
- Wesentliche Geschäftsinformationen
- Personal
- Organisation
- Vertrieb
- Beschaffung
- Versicherungen
- Steuern
- Finanzwesen
- Kreditlinien
- Liquidität
- Vermögenswerte
- Bilanzanalyse
- Analyse der Planungsrechnung
- Zusammenfassende Darlegung der wirtschaftlichen Lage
- Erfolgspotenziale des Unternehmens
- Risikozusammenfassung (auch aus nicht bilanzierungswirksamen Positionen)
- Überschlägige Unternehmenswertschätzung

E

E-Cruitment

aus dem Englischen: abgeleitet von recruitment = Rekrutierung, Anstellen von Mitarbeiten. Dieses Kunstwort bedeutet die Suche nach neuen Mitarbeitern im Internet, über Jobbörsen oder Anzeigen auf der eigenen Homepage.

Employee Satisfaction Survey

Aus dem Englischen: Befragung zur Mitarbeiterzufriedenheit. Typische Themen, die abgefragt werden, sind

- Arbeit, Arbeitsplatz und Organisation
  - Aufgaben, Arbeitsbelastung, Sinnhaftigkeit
  - Prozessabläufe und Organisation
  - Arbeitsplatzgestaltung, Arbeitszeit, autonome Gestaltung
  - Arbeitsbedingungen, Ergonomie, Umweltbelastungen
  - Einbettung des Arbeitsplatzes im Unternehmen, Bereich
  - Gehalt, Benefits, Sozialleistungen
- Zusammenarbeit und Kooperation
  - innerhalb des Bereichs
  - mit vor- und nachgeordneten Stellen
  - in Projekten und sonstigen Arbeitsgruppen
  - im Unternehmen
- Kommunikation und Information
  - im Unternehmen gesamt
  - zwischen Führungskraft und Mitarbeiter
  - der Kollegen untereinander
  - zu bestimmten Themen z. B. Produkten, Vertriebswegen etc.
  - Informationswege, Intranet, Mitarbeiterzeitung etc.

- Führung und Vorgesetzter
  - Führung im Unternehmen gesamt
  - fachliche, methodische und soziale Fähigkeiten des Vorgesetzten
- Eigenverantwortung und Partizipation
  - Einbindung von Ideen und Meinung der Mitarbeiter
  - Entfaltungsmöglichkeiten, Leistungsfähigkeit und Leistungsbereitschaft
- Weiterbildung und Entwicklung
  - Weiterbildungsmöglichkeiten
  - Karrierepfade, Entwicklungsmöglichkeiten
- Unternehmen
  - Identifikation mit dem Unternehmen, Ruf und Ansehen der Firma
  - Rolle des Unternehmens als Arbeitgeber
  - Aktionsradius des Unternehmens (Produkte, Standorte, soziales Engagement etc.)
  - Gesamtzufriedenheit mit dem Unternehmen
- Statistik
  - Alter, Geschlecht, Mitarbeitergruppe, Betriebszugehörigkeit, Standort, Hierarchie, eventuell Bereichs- und Abteilungszugehörigkeit

Wenn ein guter Kontakt zwischen Management und Mitarbeitern besteht, kann auf eine Mitarbeiterbefragung verzichtet werden, weil die meisten der oben genannten Themen gleich angesprochen werden. Es zeigt sich jedoch, dass eine Mitarbeiterbefragung insbesondere in größeren Organisationen neue Erkenntnisse über das Verhältnis der Mitarbeiter zum Unternehmen bringen. Das Ziel ist es dabei nicht nur, Defizite zu entdecken, sondern auch Entwicklungen, also Verbesserung oder Verschlechterung, nachzuvollziehen. Aus diesem Grund ist es empfehlenswert, Mitarbeiterbefragungen regelmäßig durchzuführen, mindestens im zweijährigen Rhythmus.

Empowerment

Aus dem Englischen: Ermächtigung, Bevollmächtigung. Dabei wird Verantwortung an die ausführenden Stellen übertragen und somit der Handlungsspielraum und die Motivation der Mitarbeiter erhöht.

Achten Sie darauf, dass die Mitarbeiter in der Lage sind, diese Verantwortung zu übernehmen. Es kann sehr schnell passieren, dass der Mitarbeiter sich überfordert fühlt und eher in eine Handlungslethargie verfällt, anstatt „Gas zu geben". Ein intensives Gespräch mit dem Mitarbeiter gibt Ihnen Aufschluss über seine Handlungsmotivation.

Enterprise Resource Planning (ERP)

Aus dem Englischen: Planung der Auftragsabwicklung innerhalb eines Unternehmens - vom Angebot über die Produktion bis zur Auslieferung. Es gibt eine Software, die diese Planung erleichtert.

Es herrscht immer noch die Illusion vor, mit einer Software das Unternehmen „beherrschen" zu können. Viele ERP-Projekte sind mit diesem Vorsatz gestartet. Es zeigt sich jedoch, dass die Idee, die Komplexität einer großen Organisation in einem System abzubilden, tagesaktuell zu pflegen und damit ein Unternehmen zu steuern, nicht funktioniert. Sinnvoller ist es, an vielen Stellen die Steuerung zu dezentralisieren. Bestes Beispiel sind Gruppenarbeit oder teilautonome Arbeitsgruppen.

F

Facility Management

Aus dem Englischen: Das Verwalten und Betreuen von Einrichtungen, z. B. Gebäuden, auch „ganzheitlich", also vom Baubeginn bis zum Abriss.

Immer mehr Unternehmen lassen diese Leistung durch Lieferanten erbringen. Dazu zählt nicht nur die „Hausmeistertätigkeit", sondern auch die Instandhaltung bis hin zum Werksschutz.

FMEA

Fehlermöglichkeits- und Einflussanalyse. Der Begriff benennt eine Methode zur Überprüfung eines Produkts auf mögliche Fehler, sowohl in der Entwicklung (K-FMEA) als auch für den noch aufzubauenden Produktionsprozess (P-FMEA). Dabei sind folgende Schritte zu beachten, die sehr präzise zu dokumentieren sind:

1 Systemelemente und Systemstruktur definieren
- Alle beteiligten Systemelemente erfassen
- Systemstruktur erstellen

2 Funktionen und Funktionsstrukturen festlegen
- Funktionen in die Systemstruktur eintragen
- Funktionen verknüpfen und im Funktionsnetz darstellen

3 Fehleranalyse erstellen
- Fehlfunktionen in die Systemstruktur eintragen
- Fehlfunktionen verknüpfen und im Fehlernetz darstellen

4 Risikobewertung vornehmen
- Anfangszustand (Ist-Zustand) mit Vermeidungs- und Entdeckungsmaßnahmen bewerten
- Verantwortliche und Termine benennen

5 Optimierung durchführen
- Änderungsstand erarbeiten
- Risiko mit weiteren Maßnahmen mindern
- Verantwortliche und Termine benennen

Die FMEA zwingt den Konstrukteur/Entwickler, sich im Vorfeld Gedanken über mögliche Fehler seines Produkts zu machen. Dies ist sehr wichtig, da bei vielen Entwicklungen nur das Positive gesehen wird und die Risiken verdrängt werden. Letztlich ist dabei aber nicht relevant, ob dies mit Hilfe der FMEA erfolgt oder auf andere Weise realisiert wird.

Beispiel eines FMEA Formblatts:

FMEA					
Produkt / Prozess:			Artikelnummer	Verantwortlich: Lieferant:	Erstellt:
			Änderungsstand:	Verantwortlich: Firma:	Erstellt: Verändert:
Mögliche Fehlerfolgen	Mögliche Fehler	Mögliche Fehlerursachen	Vermeidungs-maßnahmen	Entddeckungs-maßnahmen	Anmerkungen

FAQ

Aus dem Englischen: Frequently Asked Questions = oft gestellte Fragen. Bezeichnet Fragen, die so oft gestellt werden (z. B. von Kunden), dass man sie schon einmal vorsorglich beantwortet.

FAQs können auf alle Lebenslagen im Unternehmen angewendet werden. Es macht häufig Sinn, sich die typischen Fragen im Vorfeld zu überlegen und zu beantworten, da es das Verständnis für das Neue erleichtert.

Full Time Equivalent (FTE)

Aus dem Englischen: Geschlechtsneutralisierter Begriff für Manntage oder Stellen. Dabei werden nicht „Köpfe" gezählt, sondern vollwertige Arbeitsplätze. Zwei Halbtagsstellen sind in dieser Rechnung eine FTE.

Achten Sie darauf, dass bei Ihren Darstellungen der Mitarbeiterzahlen beide Größen definiert werden, also die Anzahl Mitarbeiter und die FTE. Nur so bekommen Sie einen tatsächlichen Überblick über die Struktur Ihrer Belegschaft.

G

Gardinengeld

Vergütung für Umzugskosten. Legen Sie am besten einen Pauschalbetrag mit dem Mitarbeiter fest. Dies ist in der Regel günstiger, als wenn Sie Rechnungen übernehmen. Der

Mitarbeiter ist dann bestrebt, den Umzugsprozess zu optimieren und so wenig Geld wie möglich auszugeben.

Geschäftsprozessanalyse und - optimierung

Bei der Geschäftsprozessanalyse (GPA) und Geschäftsprozessoptimierung (GPO) handelt es sich um eine systematische Vorgehensweise zur Optimierung der aktuellen Prozesse mit dem Ziel:

- Kosten zu sparen,
- die Qualität des Prozesses zu erhöhen,
- den Durchlauf des Prozesses zu beschleunigen und
- die Sicherheit des Prozesses zu erhöhen.

1. In einem ersten Schritt werden die Prozesse aufgenommen.
2. Im zweiten Schritt werden die Prozesse in Ihrer Leistungsfähigkeit beschrieben.
3. Im dritten Schritt werden die Ergebnisse analysiert, nach Aufwand oder nach Schnittstellen.

Beispiel für Schritt 1: Erhebungstabelle

Ge-schäftsprozess	Aufgabe	Zuständig	Personal-aufwand	Dauer	Aufwand für Fremd-leistungen	Grad der DV-Unter-stützung (H-M-N)	Anmerkun-gen
		Summe					

Beispiel für Schritt 2: Beschreibung der Leistungsfähigkeit der Prozesse

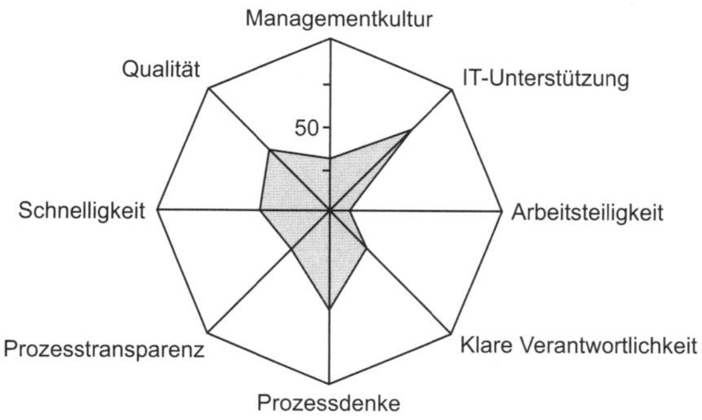

Beispiel für Schritt 3: Tabelle nach Aufwand

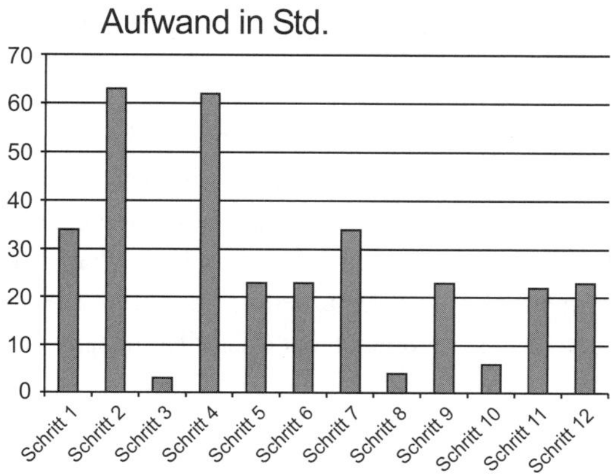

Beispiel für Schritt 3: Tabelle nach Schnittstellen

Prozess-schritte	Aufwand	Dauer	OE1	OE2	OE3	OE4	OE5	OE6	OE7	OE8
Schritt 1	3	4	x							
Schritt 2	43	453				x				
Schritt 3	5	45		x						
Schritt 4	23	43			x					
Schritt 5	54	43		x						
Schritt 6	7	65				x				
Schritt 7	34	4			x					
Schritt 8	6	4			x					
Schritt 9	34	5			x					
Schritt 10	23	45	x							
Schritt 11	66	73			x					

Geschäftsprozessoptimierungen werden oft durch externe Unternehmensberater durchgeführt. Dies ist nicht unbedingt der optimale Ansatz. Die besten Ergebnisse werden erzielt, wenn externe Berater die Analysen und deren Interpretation in Zusammenarbeit mit Mitarbeitern des Unternehmens durchführen. Dabei sollten folgende Schritte beachtet werden:

- Identifikation der zu optimierenden Prozesse
- Festlegung des Prozessverantwortlichen
- Analyse des Prozesses (qualitativ und quantitativ)

- Ausarbeitung von Optimierungsvorschlägen
- Risikobewertung
- Einbindung der Beteiligten
- Pilotierung
- Umsetzung

Greenfield Approach

Aus dem Englischen: Grüne-Wiese-Ansatz. Planungsart, bei der ohne belastende Rahmenbedingungen geplant werden kann.

Die klassische Frage des greenfield approachs ist: Wenn wir das Geschäft heute neu starten würden, wie würden wir uns aufstellen?

H

Head count

aus dem Englischen: Zahl der Köpfe. Gemeint ist die Anzahl der Mitarbeiter.

High Potential

Aus dem Englischen: hohes Potenzial. Gemeint ist eine Nachwuchskraft mit großem Entwicklungspotenzial. High Potentials haben nicht nur einen vorzüglichen Studienabschluss vorzuweisen, sondern auch Praxiserfahrung und ausgezeichnete Fremdsprachenkenntnisse. Außerdem sollen sie auch durch ihre Persönlichkeit für spätere Führungsaufgaben prädestiniert sein, das heißt, man verlangt von ihnen Teamfähigkeit, Kreativität und Kommunikationsstärke.

Viele Personalabteilungen legen Nachwuchsförderprogramme auf, um High Potentials in das Unternehmen zu locken und sie auch dort weiter zu entwickeln. Das Problem ist aber oft, dass dann keine adäquaten Stellen vorhanden sind. Aus diesem Grund kommt es nicht selten vor, dass diese Mitarbeiter das Unternehmen nach kurzer Zeit wieder verlassen.

Human Ressource Management

Aus dem Englischen: Personalarbeit. Dabei sind folgende Prozesse zu beachten:

- Personalplanung: „Klarziehen" der Personalbudgets, Erstellen von Stellenplänen und Organigrammen.
- Personaleinstellung: Suchen und Einstellen der Mitarbeiter, d. h. Definition der Anforderungen, Anzeigenschaltung, Zusammenarbeit mit Personalberatern, Personalmarketing, Steuerung des Auswahlprozesses und Sicherstellung der Arbeitsverträge.
- Personaleinsatz: Mitarbeiter im Unternehmen anderweitig einsetzen. Dazu gehören die interne Stellenausschreibung, die Eingruppierung der Stelle und die Versetzung des Mitarbeiters.
- Personalbetreuung: Eingruppierung der Mitarbeiter, Ansprechpartner für die Mitarbeiter, Ausstellung von Zwischenzeugnissen, Leistungsbeurteilungen etc.

- Personalentwicklung: Weiterentwicklung der Mitarbeiter im Unternehmen. Dazu gehören:
  - Zielvereinbarungsprozess definieren
  - Auslandseinsatz koordinieren
  - Skill-Management
  - Ernennung
  - Ausbildung
  - Fort- und Weiterbildung
  - Leistungsbeurteilungssystem
  - Studienförderung
  - Führungsnachwuchsgruppen ausbilden
  - Besetzung von Führungspositionen
  - Job-Rotation
  - Bildungslebensläufe erstellen

- Personalabrechnung: Pünktliche Abrechnung und Berücksichtigung aller tariflichen, gesetzlichen und steuerlichen Belange.
- Personalaustritt: Der Prozess des Personalaustritts ist in vielen Unternehmen nicht sauber geregelt. Hierbei geht es darum, dass neben dem Erstellen eines Arbeitszeugnisses auch die Weitergabe des Wissens an den Nachfolger sichergestellt wird, des Weiteren auch, dass alle Unterlagen, E-Mails, Visitenkarten und Arbeitsmittel wie Laptop oder Firmenfahrzeug abgegeben werden.
- Personalcontrolling: Erstellen von Statistiken, etwa Meldungen an das statistische Landesamt, Berechnung der Schwerbehindertenabgabe, Berufsgenossenschaft, Unfall-

versicherung, Gewerbesteuer und Pensionsrückstellungen. Meistens auch für die Festlegung der Vergütungshöhe zuständig.

Mitarbeiter aus Personalabteilungen sind oft „Kaminaufsteiger", d. h. dass sie nie andere Bereiche als die Personalabteilung kennen gelernt haben. Dies kann zu praxisfremden Personalkonzepten führen. Setzen Sie deshalb Personalmitarbeiter für einige Zeit in anderen Abteilungen ein.

Hurdle Rate

Aus dem Englischen: hurdle = Hürde (eigentlich ein Begriff aus dem Bereich Sport). Die Hürdenrate wird üblicherweise vom Vorstand vorgegeben. Sie bezeichnet eine Mindestrendite, die eine Investition, ein Unternehmensbereich oder ein Projekt erreichen muss.

Die Hürde sollte nicht zu hoch angesetzt sein. Es gibt Unternehmen, die vorgeben, dass sich Investitionen innerhalb von 1,5 Jahren rechnen müssen. Dies hat folgende Konsequenzen:

1. Entweder es gibt kaum noch Investitionen oder
2. es werden bei der Kalkulation unrealistische Annahmen beschrieben, um den Antrag genehmigt zu bekommen.

I

Ideenmanagement

Bezeichnet ein zielgerichtetes, systematisches Akquirieren und Verwerten von Mitarbeitervorschlägen und Ideen mit Ziel, die Effizienz zu steigern. In vielen Unternehmen wird es auch als betriebliches Vorschlagswesen bezeichnet.

Ein Ideenmanagement muss ständig leben. In den meisten Unternehmen wird jedoch wenig dafür getan. Als erfolgreich haben sich folgende Maßnahmen erwiesen:

1 Jeden Monat unterschiedliche Themen vorschlagen und die Mitarbeiter bitten, sich dazu Optimierungen zu überlegen,

2 Teams beauftragen, ein Thema zu optimieren,

3 Ideen kurzfristig prämieren (es nützt nichts, wenn der Mitarbeiter erst ein Jahr später für seine Idee belohnt wird),

4 ein Ranking der Anzahl von Ideen pro Abteilung aushängen und die Führungskräfte daran messen, wie viele Vorschläge ihre Mitarbeiter pro Monat/Jahr eingebracht haben.

IMV-Matrix

Mit einer IMV-Matrix besteht die Möglichkeit, Personen nach der Art ihrer Mitwirkung zuzuordnen. Dabei steht I für Information, M für Mitarbeit, V für verantwortlich. Die IMV-Matrix legt also fest, wer für eine Aufgabe verantwortlich ist, wer mitarbeitet und wer über den Fortschritt der Arbeit informiert werden muss. In Projekten ist diese Zuständigkeitsklärung sehr wichtig. Mit der IMV-Matrix kann der → Change Manager sämtliche definierten Aufgaben detailliert verteilen.

Beispiel einer IMV-Matrix:

IMV-Matrix	H. Blau	H. Grün	H. Schwarz	H. Dick	Fr. Dünn	H. Rot	H. Gelb	H. Sommer	Fr. Winter
Aufgabe 1	V	M	M	M	I	I	I		
Aufgabe 2	M	M	V		I	I			I
Aufgabe 3		I	M	I	I		M	M	V
Aufgabe 4	V	M		M	I	M	I	I	
Aufgabe 5			M	I	M			V	M
Aufgabe 6		I	I	V	M	M	M	I	
Aufgabe 7		V	I	I	I	I	I	I	I
Aufgabe 8		M	M	M	M	M	V		
Aufgabe 9		V	M	M	I		I		I

Die IMV-Matrix empfiehlt sich immer dort, wo Sie befürchten müssen, dass sich niemand für eine Aufgabe verantwortlich fühlt.

Inbound Call Center

Aus dem Englischen: eingehender Anruf im Call Center, d. h. der Kunde meldet sich beim Unternehmen, die Aktivität geht von ihm aus.

Die Zahl der Inbound Call Center ist in den letzten Jahren sehr stark angewachsen. Die Einrichtung eines Inbound Call Centers ist dann sinnvoll, wenn Kapazitäten an einem Ort gebündelt werden sollen, um dadurch eine Effizienzsteigerung zu erreichen. Beispiele hierfür:

- Telefonempfang
- Hot-Line-Service
- Beschwerdetelefon
- Informations-Center

Innovationsmanagement

Innovationsmanagement ist das Managen der Innovationsprozesse im Unternehmen. Dazu gehören Forschung und Entwicklung, Patentmanagement, Schaffung einer innovationsfreundlichen Unternehmenskultur, Trendanalysen und Marktanalysen. Typische Phasen eines Innovationsprozesses sind:

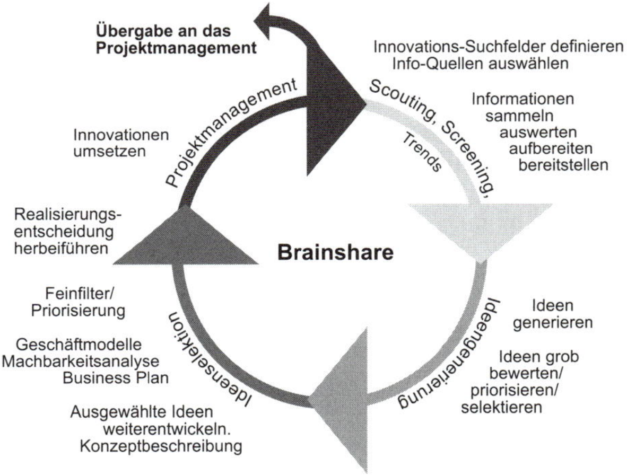

Quelle: Thomas Bungartz

Innovationsmanagement wird in vielen Unternehmen vernachlässigt, sollte aber Chefsache sein, da dadurch die Profite der Zukunft generiert werden. Der Schlüssel zum Erfolg ist die Schaffung einer innovationsfreundlichen Unternehmenskultur. Nur wenn alle Mitarbeiter mitdenken und ihre Ideen einbringen, ist ein Unternehmen innovativ (→ Ideenmanagement). Hierbei geht es nicht nur um Produktinnovationen, sondern auch um Prozessinnovationen.

Initial Public Offering (IPO)

Aus dem Englischen: Neuemission von Aktien eines Unternehmens. Dabei setzen die Banken, die den Börsengang begleiten, den Ausgabekurs fest.

Mit dem Ende der „Internet-Blase" Ende der 1990er, als viele Aktien bei der Neuemission maßlos überteuert angeboten wurden und viele Aktionäre viel Geld verloren hatten, ist das Thema IPO etwas in Verruf geraten. Es bleibt der Beigeschmack, dass es bei der Ausgabe der Aktien nicht primär darum geht, neues Kapital zu beschaffen, sondern die Altaktionäre zu bereichern. Ein Unternehmen sollte deshalb in der Kommunikation den Grund des IPOs klar und plausibel erklären.

Ishikawa-Diagramm

Fischgrätendiagramm. Eine Ideenfindungs- und Kreativitätsmethode nach dem Prinzip der Ursache-Wirkung. Beispiel:

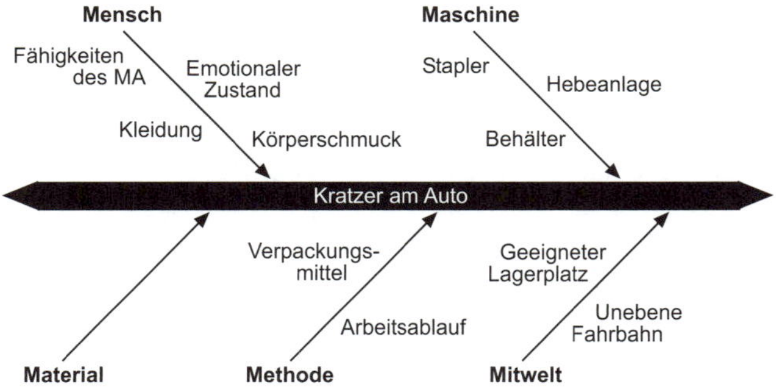

J

J-Kurve

Ein häufiger Kurvenverlauf in der Volkswirtschaft, auch Hockeystick-Effekt genannt, der ebenso bei Prozessen, Projekten oder Veränderungsprozessen in Unternehmen auftritt. Nach einer negativen Entwicklung zu Beginn folgt ein lang anhaltender Aufwärtstrend - vergleichbar der Form des Buchstabens J oder eines Hockey-Schlägers. Ursache für den anfänglichen Abfall sind Unsicherheiten oder Lernkosten, die kurz nach einer Produkteinführung dominieren. Erst in der zweiten Phase treten die positiven Effekte in Erscheinung. Ein Beispiel:

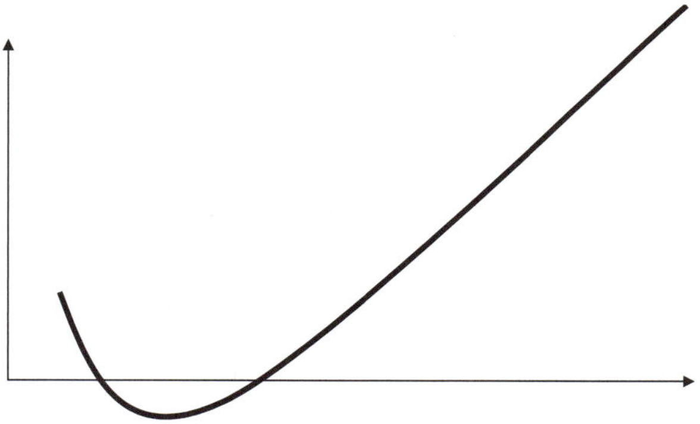

Unterschätzen Sie die J-Kurve nicht! In den meisten Projekten gibt es eine so genannte Anlauf- oder Lernkurve. Wenn

Sie diese Phase nicht einplanen, kann es sein, dass Zeit oder Budget nicht ausreichen.

Job Rotation

Aus dem Englischen. Regelmäßiges Wechseln der Arbeitsfunktion innerhalb eines Unternehmens, aber auch systematischer Arbeitsplatzwechsel.

Job rotation hat Vorteile, aber auch Nachteile. So kann z. B. die Produktivität erheblich sinken, wenn produktive und gut eingearbeitete Mitarbeiter eine neue Tätigkeit im Unternehmen beginnen. Die Erfahrung, die sie auf ihrem bisherigen Arbeitsplatz eingebracht haben, droht dem Unternehmen verloren zu gehen. Wenn job rotation systematisch betrieben wird, zeigt sich jedoch, dass die Vorteile überwiegen. Dazu gehören:

- Ein Mitarbeiter ist breiter im Unternehmen einzusetzen, wenn er schon verschiedene Funktionen ausgeführt hat.
- Das Verständnis für die Organisation und die Zusammenhänge steigt.
- Grabenkämpfe und das Verteidigen der eigenen Abteilung werden weniger, da jeder Mitarbeiter befürchten muss, bei seiner nächsten Aufgabe vielleicht genau in diese Abteilung zu kommen.
- Die Mitarbeiter wissen, dass sie eine Funktion nur temporär ausüben, und dokumentieren Ihre Aufgaben und Tätigkeiten deshalb stärker, um es Nachfolgern einfacher zu machen.

- Es bestehen weniger Möglichkeiten des „Mauschelns“, da der Nachfolger dies schnell herausfinden würde.
- Die Arbeit ist für den Mitarbeiter interessanter, da er permanent Neues dazulernt.

Just in Time (JIT)

Aus dem Englischen: Lieferung der Ware zum benötigten Zeitpunkt in der Produktion. Ziel dieses Vorgehens ist es, geringere Vorräte vorhalten zu müssen.

JIT ist heutzutage Alltag in vielen Industrien. Unternehmen können sich keine großen Pufferzonen mehr erlauben und verlagern den logistischen Belieferungsprozess an den Lieferanten. Dem Vorteil der hohen Einsparungen stehen jedoch auch Risiken entgegen. Es wäre nicht das erste Mal, dass ein Automobilhersteller ein Frachtflugzeug chartert, um „auf die Schnelle“ Teile zu beschaffen und dadurch einen Produktionsstillstand zu vermeiden. Diese Risiken sollten kostenmäßig erfasst und in der Kalkulation berücksichtigt werden.

K

Kaizen

Aus dem Japanischen. Kaizen ist ein ganzheitliches Konzept, das auf graduelle, kontinuierliche Verbesserungen der Unternehmensleistung in allen Unternehmensbereichen durch alle Beschäftigten abzielt. Dies bringt Kosteneinsparungen durch Qualitätsverbesserungen und Durchlaufzeitverkürzungen mit sich. Dabei soll jegliche Verschwendung eliminiert und Abläufen synchronisiert werden mit dem Schwerpunkt auf Produktionsoptimierungen.

Im Sinne von Kaizen unterscheidet man wertschöpfende und nicht wertschöpfende Tätigkeiten und Zustände. Unter Wertschöpfung wird alles das verstanden, was dem Produkt einen Mehrwert zuführt, Verschwendung beinhaltet alle nicht wertschöpfenden Anteile. Da Kaizen eine Eliminierung jeglicher Verschwendung beinhaltet und beim Arbeiten am Band aufgrund der Leitlinie „Just in Time" vorkommissioniert wird, werden im Regelfall die Stellflächen, die zurückgelegten Wege und die Verwendung von überflüssigem Material erheblich reduziert.

Die wesentlichen Prinzipien des Kaizen sind:

- Prozessbezogene Leistungen werden gewürdigt.
- Die Führungskraft denkt und handelt prozessorientiert.
- Innovationen finden in kleinen Schritten statt.
- Kleine quantitative Veränderungen sind Grundlage der neuen Qualität.
- Optimierungen werden sofort eingeleitet.
- Jede neu erreichte Qualität wird zum verbindlichen Standard ernannt.
- Das Ende ist der Anfang - das Ende eines Innovationsprozesses ist der Anfang eines Optimierungsprozesses.
- Kaizen ist aktive Führungsaufgabe (Verbesserungsvorschläge der Mitarbeiter einholen).

Außerdem spielen eine wichtige Rolle:

- Vorschlagswesen (Prämien für die Mitarbeiter)
- Kundenorientierung
- Mechanisierung und Automatisierung
- umfassende Qualitäts- und Produktivitätskontrolle
- Qualitätszirkel
- → Kanban
- Gruppenarbeit, Verantwortlichkeit in allen Bereichen
- Kooperation als Arbeits- und Führungsverhalten
- Ziele (Zielvereinbarungen)

Die konsequente Anwendung von Kaizen birgt zwar ein hohes Potenzial an Produktivitätssteigerungen, Verkürzung der Rüstzeiten, Reduzierung der Fehlerquoten und Bestandsreduzierungen, aber aus verschiedenen Gründen scheitern viele Unternehmen mit ihren Veränderungsprozessen. Diese gescheiterten Kostensenkungs- und Verbesserungsprogramme zeigen, dass eine qualitative Veränderung der Unternehmenskultur nicht einfach ist. Die Ursachen liegen in der Regel in einer unzureichenden Einbindung der Mitarbeiter in die neue Philosophie. Auch hier zeigt sich, dass der Veränderungsprozess keine kurzfristige Aktion ist, sondern langfristig angelegt werden muss. Unternehmen, die Kaizen konsequent umgesetzt haben und „drangeblieben" sind, haben erstaunliche Produktivitätsvorsprünge erzielt.

Kanban

Japanische Logistikmethode. Belieferung der Produktion nach dem Bedarfsprinzip: "Bevor der Behälter leer ist, muss er rechtzeitig aufgefüllt werden." Grundprinzip der Kanban-Idee ist ein System ohne Zwischenlager. Dies wird gewährleistet durch die Anlieferung der exakt erforderlichen Anzahl von Teilen zum richtigen Zeitpunkt an den Produktionsabschnitt. Durch dieses Just-in-Time-Prinzip wird den steigenden und immer vielfältigeren Kundenanforderungen Rechnung getragen. Ziele des Kanban sind die Verbesserung von:

- Beziehungen zu Lieferanten
- Arbeitsplatzergonomie
- Arbeitsabläufen
- unterstützenden Systemen
- Arbeitsbeziehungen

Kennzeichnende Elemente des Kanban sind

- Regelkreis: Er besteht aus einer Senke, an der Material verbraucht wird, und einer Quelle, an der Material bereitgestellt oder hergestellt wird. Hinzu kommt ein Pufferlager, das zwischen Quelle und Senke angeordnet ist.
- Holprinzip: Die Senke ist verpflichtet, die von ihr benötigten Teile bei der Quelle abzuholen oder durch einen für den Transport zuständigen Mitarbeiter abholen zu lassen. Die Pufferlager gewährleisten dabei, dass der Senke die jeweils benötigte Menge sofort zur Verfügung steht.
- Kanban-Karte: Sie enthält alle wichtigen Informationen, die zur kurzfristigen Steuerung des Informations- und

Materialflusses und somit zur Produktion auf Basis des Holprinzips benötigt werden. Dies können beispielsweise sein: Teilenummer, Teilekurzbeschreibung, Bezeichnung des Behältertyps usw.

- Ablaufregeln: Die Senke hat die von ihr benötigten Teile selbstständig aus den jeweiligen Pufferlagern abzuholen und darf niemals mehr Material entnehmen, als sie gerade benötigt. Die Quelle darf im Sinne der „Produktion auf Abruf" erst dann mit der Herstellung neuer Teile beginnen, wenn tatsächlich eine Entnahme aus dem Pufferlager stattgefunden hat und ein entsprechender Produktions-Kanban vorliegt.

Durch den Einsatz des Kanban-Systems lassen sich neben Verkürzungen der Durchlaufzeiten auch Reduzierungen der Nebenzeiten erzielen. Zudem wird die Anzahl der umlaufenden Teile reduziert und eine gleichmäßige Auslastung der verschiedenen Prozesse erreicht. Durch die schnelle Lieferung der benötigten Teile kann darüber hinaus die Lagerfläche ebenso reduziert werden wie die Kapitalbindung durch große Einlagerungsmengen. Schließlich ermöglicht es Kanban, dass sich das Unternehmen in gewissen Bahnen durch die Regelkreise selbst steuert und somit auf komplexe Planungs- und Steuerungssysteme verzichtet werden kann.

Kick-Off-Meeting

aus dem Englischen: kick off = Anstoß (z. B. beim Fußball). In diesem Zusammenhang ist aber ein Meeting zum Projektstart gemeint, in dem es um die Klärung von grundsätzlicher Vorgehensweise, Aufgabenverteilung und Zeitplan geht. Die Ziele eines Kick-Off-Meetings sind:

- Kennenlernen der Teams,
- gleicher Informationsstand der Projektbeteiligten,
- Abklären der Projektziele und Rahmenbedingungen,
- erste Ansätze über die Projektplanungsschritte (Projektstrukturplan, Meilensteinplan),
- Teamspielregeln für die Zusammenarbeit, Informationsweitergabe und Kommunikation festlegen,
- prüfen, ob die notwendigen Fachkompetenzen im Team vorhanden sind,
- prüfen, ob die Mitglieder des Projektteams die notwendigen Kapazitäten zur Verfügung stellen können,
- Motivation des Teams,
- die nächsten Schritte festlegen.

Killer Application

Aus dem Englischen: killer = Mörder, application = Anwendung. Der Begriff bezeichnet das Merkmal eines Produkts, das es einzigartig auf dem Markt macht und das für die Konkurrenz 'tödlich' ist

Komplexitätsmanagement

Management der Teilevielfalt. Der Komplexitätsmanager hat die Aufgabe sicherzustellen, dass die Anzahl von Varianten eines Produkts nicht explodiert und dadurch hohe Kosten entstehen.

Insbesondere bei Unternehmen mit einer hohen Produktvielfalt lauert hier eine große Gefahr. Jeder Projektleiter eines neuen Produkts denkt in der Regel erst einmal an die Optimierung der Teile seines Produkts und neigt dazu, eine Gleichteileoptimierung außer Acht zu lassen. Ein einfaches Beispiel: Wenn ein neues Auto entwickelt wird, wird z. B. häufig versäumt abzuklären, ob das Bremspedal aus einem anderen Fahrzeugtyp übernommen werden kann. Meistens wird ein neues Pedal entwickelt. So kann es schnell passieren, dass jedes Modell einer Marke ein eigenes Bremspedal hat. Die Folgen sind mehrfache Lagerung, hoher Lagerbestand, mehr Artikel im Bestand etc.

KPI

Key Performance Indicator. Aus dem Englischen: strategische Messgrößen für die Leistungsfähigkeit eines Unternehmens. Die KPI sind die Steuerungsgrößen eines Unternehmens und sollten deshalb sorgfältig ausgewählt werden. Für den Manager sind die KPI - ähnlich wie die Messgeräte im Cockpit eines Piloten - die Messgrößen, die er zum Steuern des Unternehmens benötigt. Empfehlenswert sind maximal 3 - 5 KPI. In einem Produktionsunternehmen könnte der Produktionsleiter z. B. folgende KPIs aufstellen:

- Auftragsdurchlaufzeit (um die Effizienz der Produktion zu messen),
- Fehlzeiten (um die Motivation der Mitarbeiter zu messen),

- Anzahl Nacharbeitsteile pro Schicht (um die Qualität zu messen).

KVP

Kontinuierlicher Verbesserungsprozess → Kaizen.

L

Leadership

Aus dem Englischen: Führung, Leitung, Führerschaft. Gemeint sind die Führungsfähigkeiten, mit denen eine Führungskraft - getrieben durch eine Vision -, Mitarbeiter dazu bewegen kann, ihr zu folgen. Ein „guter" Leader ist eine charismatische Führungspersönlichkeit.

Letztlich sind die Leadership-Kriterien nichts anderes als die Fähigkeiten, die auch eine gute Führungskraft haben sollte. Der Schwerpunkt liegt jedoch stärker auf dem „visionären" Teil. Typische Leadership-Kriterien sind:

- Denkt und handelt strategisch und gibt seinen Mitarbeitern Orientierung.
- Initiiert und treibt Veränderungen voran.
- Bindet Mitarbeiter ein und schafft es, sie durch Sinngebung zu motivieren.
- Ist durch Vorleben Vorbild.

Lean Management

Dieser Begriff hat seinen Ursprung in dem Begriff Lean Production aus dem Buch „Die zweite Revolution in der Automobilindustrie" der Autoren Womack, Jones und Roos aus dem Jahr 1990. Im Mittelpunkt des Lean Management stehen der Wertschöpfungsansatz und die Vermeidung von Verschwendung im Unternehmen. Dies bezieht sich beispielsweise auf Aspekte wie Lagervorräte, Ausschuss oder menschliche bzw. technische Kapazitäten. Ziel ist es, dass die Produktion von allem „Unnützen" befreit wird.

Durch rein organisatorische und unternehmensstrategische Maßnahmen sowie eine regelmäßige Optimierung der Organisation lassen sich Wettbewerbsfähigkeit, Kosteneffizienz, Qualität, Reaktionsfähigkeit und Kundenorientierung verbessern. Dabei wird es als Grundsatz verstanden, Kompetenz und Verantwortung miteinander in Einklang zu bringen, um durch klare Zuständigkeiten kurze Entscheidungswege zu gewährleisten. Durch die Übertragung von Verantwortung auf die Mitarbeiter und Organisationsformen wie Teamarbeit wird zudem die Mitarbeiterzufriedenheit gesteigert. Damit werden die Arbeitsergebnisse entscheidend verbessert.

Neben dieser starken Mitarbeiterorientierung ist auch die starke Kundenorientierung ein wichtiger Aspekt des Lean Management. So zielen alle Maßnahmen darauf ab, Wünsche, Anforderungen und Wertvorstellungen der Kunden zu erfüllen und damit der Wandlung vom Verkäufer zum Käufermarkt gerecht zu werden.

Learning organization

Aus dem Englischen: Lernende Organisation. Geprägt wurde dieser Begriff durch das Buch „Die fünfte Disziplin" von Peter Senge. Eine lernende Organisation zu sein, ist der Idealtyp eines innovativen und erfolgreichen Unternehmens. Sein Konzept enthält fünf grundlegende Bausteine bzw. Disziplinen:

- Personal Mastery: weitgehende Selbstführung im Gesamtinteresse der Organisation,
- Mental Models: kritisches Hinterfragen von Denk- und Verhaltensmustern,
- Shared Vision: gemeinsam getragene mittel- und langfristige Vision,
- Team Learning: kooperativer Austausch von individuellen und gemeinsamen Erfahrungen zur Weiterentwicklung der Handlungskompetenz der Organisation,
- System Thinking: Denken in Systemen, ganzheitliche Problemanalyse.

Gerade die fünfte Disziplin, das Denken in Systemen, soll nach Senge der Garant für eine ganzheitliche Berücksichtigung aller fünf Faktoren bei der Organisationsgestaltung sein.

Stellen Sie sich die Frage, wie sich jeder Mitarbeiter weiterentwickeln kann. Dabei sind nicht nur Seminare oder Weiterbildungen gemeint. Es können auch Projekte oder Aufgaben sein, die den Mitarbeiter fordern. Schaffen Sie auch

Freiräume für die Weiterentwicklung der Organisation als Ganzes, z. B. betriebliches Vorschlagswesen (→ Ideenmanagement), Expertenaustausch, → Benchmarking-Projekte, Erfahrungsberichte aus abgeschlossenen Projekten etc.

Leistungsbeurteilung

Beurteilungsschema, mit dem Mitarbeiter und Führungskräfte eingestuft werden. Bei Mitarbeitern werden eher die Fähigkeiten und deren Einsatz beurteilt. Bei Führungskräften wird eher die Zielerreichung gemessen. Beispiel eines Kriterienkatalogs:

- Anwendung der Fertigkeiten/Fähigkeiten
- Selbstständigkeit
- Auffassungsgabe/Urteilsvermögen
- Zuverlässigkeit/Termintreue
- Effizienz der Arbeit
- Ausdrucksvermögen
- Überzeugungsfähigkeit
- Einsatzbereitschaft/Engagement
- Zusammenarbeit mit Kollegen
- Kontaktpflege/Netzwerkpflege
- Motivierung von Mitarbeitern
- Führung von Mitarbeitern
- Kreativität

In der Regel fallen Leistungsbeurteilungen zu gut aus. Vorgesetzte scheuen oft den Konflikt mit den Mitarbeitern und beurteilen diese deshalb zu positiv. Spannungen können dann in einem Unternehmen entstehen, wenn der eine Chef sehr hart beurteilt, der andere zu großzügig ist. Empfehlenswert ist eine regelmäßige „Eichung" der Beurteilungsart, indem sich die Vorgesetzten gemeinsam zusammensetzen und die Kriterien für ihre Entscheidungen diskutieren.

Leitbild

Das Leitbild ist eine nach innen und außen verbalisierte Leitlinie der Unternehmenspolitik. Darin werden grundsätzliche Ziele des Unternehmens transparent und kommunizierbar gemacht. Des Weiteren gibt das Leitbild einen Orientierungsrahmen für die Entscheidungen im Unternehmen und für die entsprechenden Handlungen. Das Leitbild gilt als Spiegel der Unternehmenskultur.

In vielen Unternehmen existieren Leitbilder, die von Marketingagenturen geschrieben wurden. Sie sind schön in Hochglanzbroschüren präsentiert, sind aber oft nicht repräsentativ für die Unternehmenskultur. Achten Sie bei der Erstellung des Leitbilds auf die Einbindung der Mitarbeiter, denn die Identifikation der Mitarbeiter ist der relevante Punkt.

Leverage-Effekt

Aus dem Englischen: leverage = Effekt, Einfluss. Unter Leverage wird oft ein Skaleneffekt verstanden.

Jeder Unternehmer sollte ständig auf der Suche nach Leverage-Effekten sein, z. B. mehr Umsatz mit dem gleichen Personalstamm zu erzielen. Leider ist oft das Gegenteil der

Fall: Mehr Umsatz kann in manchen Unternehmen zu überdurchschnittlich mehr Aufwand führen. Dieser Umsatz ist dann teuer erkauft. Eine Planung, wie sich Umsatz und Kosten pro Produktsortiment entwickeln werden, ist die Basis, um Leverage-Effekte gut beurteilen zu können. „To leverage" kann aber auch bedeuten, ein Geschäft zum Durchbruch zu verhelfen.

Low hanging fruits

Aus dem Englischen: tief hängende Früchte. Steht für leicht erreichbare Ziele bzw. Ergebnisse.

M

Management by ...

In der Managementliteratur werden drei Führungsmodelle als „Management by ..." definiert:

- Management by Objectives (MBO)
- Management by Delegation
- Management by Exception

Unter Management by Objectives, auch bekannt als „Führen mit Zielen", versteht man die Führung der Mitarbeiter anhand einer gemeinsam erstellten Zielvereinbarung. Der Chef kümmert sich nicht um das Tagesgeschäft des Mitarbeiters, sondern legt gemeinsam mit ihm Ziele fest und überwacht diese. Meistens ist die Erreichung der Ziele an einen variablen Anteil des Gehalts gekoppelt.

Management by Delegation bedeutet, dass der Chef die meisten Aufgaben an seine Mitarbeiter delegieren sollte und dies auch lernen muss. Diese Methode greift ein Phänomen vieler Führungskräfte auf, die oft alle Aufgaben an sich ziehen (weil sie es ja am besten können) und somit zum „Flaschenhals" bei der Aufgabenerledigung werden.

Management by Exception geht davon aus, dass Chefs immer dann präsent sein müssen, wenn Probleme im Entstehen oder vorhanden sind. Hier ist es wichtig, ein gutes Controllingsystem zu haben, um mögliche Probleme früh zu erkennen.

Neben den klassischen Definitionen, kursieren auch ironische „Management by ..." Beschreibungen:

- Management by Champignon:
  Den Mitarbeiter im Dunkeln halten, mit Mist bewerfen. Sobald er den Kopf rausstreckt: Abschneiden!
- Management by Umbrella:
  Die Mitarbeiter vor Unannehmlichkeiten abschirmen, so dass sie ungestört und produktiv arbeiten können.
- Management by Walking around:
  Sich als Führungskraft immer wieder persönlich bei den Mitarbeitern sehen lassen, dabei für Fragen zur Verfügung stehen, sich einen eigenen Eindruck von deren Arbeit bilden und direkt Feedback geben.
- Management by Helicopter:
  Über allem schweben, von Zeit zu Zeit auf den Boden

kommen, dann viel Staub aufwirbeln und schnell wieder ab in die Wolken.

- Management by Surprise:
  Erst handeln, sich dann von den Folgen überraschen lassen.
- Management by Hippopotamus:
  Sich mit großer Klappe über dem Wasser halten oder „Maul aufreißen und dann untertauchen".
- Management by Terrier:
  Wer nicht schnell genug arbeitet, wird in die Wade gebissen.

Management-Potenzialanalyse

Die Management-Potenzialanalyse dient der Beurteilung der Fähigkeiten von Führungskräften. Sie basiert in der Regel auf folgenden Instrumenten:

1 Beurteilung durch den Vorgesetzten
2 Psychologischer Test
3 Beurteilung durch Kollegen
4 Beurteilung durch Mitarbeiter

Mit den daraus gewonnenen Informationen können alle Führungskräfte bewertet werden und Besetzungspläne aufgebaut werden.

Empfehlenswert ist es, mit einer Führungskraft schon bei der Einstellung eine Management-Potenzialanalyse durchzuführen. Außerdem sollten Führungskräfte alle zwei bis drei Jahre neu beurteilt werden.

Beispiel eines psychologischen Tests:

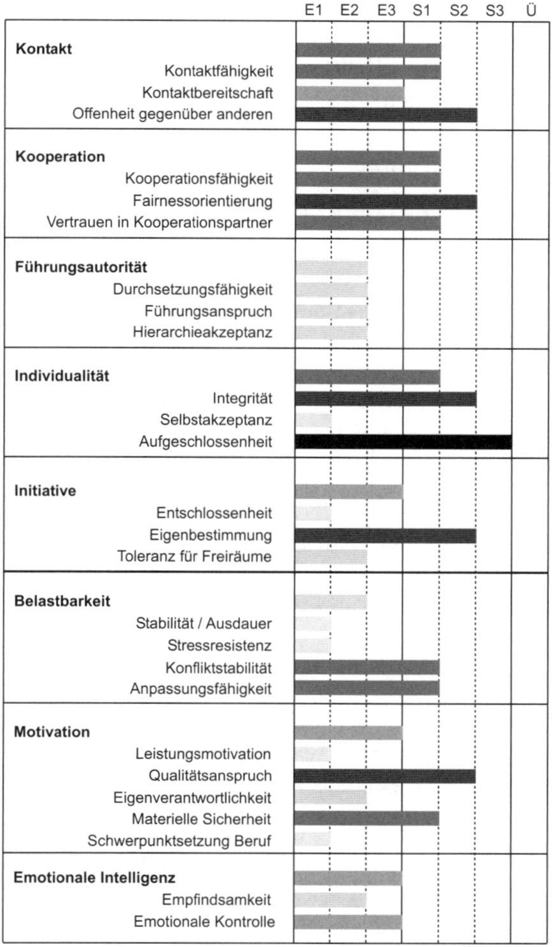

Mausbeutung

Verschmelzung von (Computer-)Maus und Ausbeutung. Dieser Art der Ausbeutung fallen vor allem junge, motivierte Berufseinsteiger in der IT-Branche zum Opfer, die zahllose unbezahlte Überstunden leisten.

Mergers and Akquisitions

Aus dem Englischen. Wird oft für den Bereich eines Unternehmens verwendet, der sich mit Beteiligungen und Unternehmenskäufen/-verkäufen beschäftigt. Investmentbanken haben in der Regel eine M&A-Abteilung.

In den letzten Jahren ist der M&A-Boom etwas abgeflaut. Unternehmen überlegen sich wieder genauer, an welchen Firmen sie sich beteiligen wollen. Die Arbeit, die mit der Integration eines Unternehmens zusammenhängt, wird oft sträflich unterschätzt. Achten Sie bei jedem M&A-Projekt bereits im Rahmen der Begutachtung des Unternehmens darauf, wie sich die Unternehmenskulturen gleichen, und setzen Sie ein Budget für den Integrationsprozess an.

M-Commerce

Bezeichnet den Handel über mobile Geräte, momentan also vor allem das Handy. Mit der wachsenden Bandbreite in den Handy-Netzen durch neue Techniken wie GPRS oder UMTS werden völlig neue M-Commerce-Angebote möglich, z. B. lokale Ausgehtipps samt Stadtplan und Kartenreservierung. UMTS soll die Übertragung von Filmen aufs Handy ermöglichen.

Durch eine stärkere Verschmelzung von Handy, Organizer/PDA, MP3-Player, Computer und Navigationssystem werden neue interessante Anwendungen auf den Markt kommen. Das Handy ist außerdem ein noch völlig unterschätztes Werbemedium.

Management Buy In (MBI)

Beteiligung des Management am Unternehmen bzw. Übernahme eines Unternehmens durch ein externes Management.

Hier ist darauf zu achten, dass das Management Branchenerfahrung mitbringt. Da MBI in der Regel im Mittelstand durchgeführt werden, hier aber die Abläufe und Mitarbeiter oft auf den ehemaligen Inhaber zentriert und fixiert sind, bricht zunächst oft alles zusammen. Die Kontakte zu Kunden und Lieferanten müssen mühsam wieder aufgebaut werden. Dies wird von vielen Managern, die ein MBI durchführen, unterschätzt. Empfehlenswert ist es, erst zwei bis drei Jahre lang das Geschäft des Unternehmens kennen zu lernen und dann den Übergang zu vollziehen.

Management Buy Out (MBO)

Kauf eines Unternehmens oder eines Teils davon durch das eigene Management. Ein MBO ist eine sehr beliebte Übergangsform im Mittelstand. Da das Management das Unternehmen und den Markt kennt, sind die Risiken, „die Katze im Sack" zu kaufen, gering.

Leider scheitern MBOs oft an dem Eigenkapital des Managers. In der Praxis haben sich folgende Modelle als machbar herausgestellt:

- Der Kaufpreis wird in Raten auf Rentenbasis an den ehemaligen Inhaber bezahlt.
- Der Betrieb wird geteilt in eine Betriebsgesellschaft und eine Vermögensgesellschaft, in denen die Immobilien verwaltet werden. Es wird nur die Betriebsgesellschaft verkauft. Diese zahlt eine Miete an die Vermögensgesellschaft, die weiterhin im Besitz des ursprünglichen Inhabers bleibt.
- Der Käufer kann eine Hypothek auf das Betriebsvermögen der Firma aufnehmen, um damit einen Kredit für den Kaufpreis zu finanzieren.
- Ein Business Angel beteiligt sich.
- Eine Venture-Kapital-Firma beteiligt sich.

Meilensteinplan

Der Meilensteinplan ist ein wichtiges Instrument der Grobplanung. Er beantwortet im Wesentlichen zwei Fragen:

- Wann liegen welche Ergebnisse vor, die mir ein Urteil über den Stand des Projekts ermöglichen?
- Wann müssen bestimmte Entscheidungen getroffen sein?

Meilensteine sind ähnlich zu sehen wie Zwischenprüfungen: Es müssen Ergebnisse vorliegen. Ohne Ergebnisse ist kein Meilenstein erreicht. Es ist besonders wichtig, die Ergebnisse so zu definieren, dass diese auch überprüfbar sind. Der Meilensteinplan ist für den Projektleiter ein wichtiges Instrument, um Mitarbeiter zu motivieren und Energie in das Projekt zu bringen. Besonders bei langen Projekten ist es wichtig, die Mitarbeiter mit Zwischenterminen „bei der Stange" zu halten. Dies funktioniert jedoch nur, wenn bei Nichteinhaltung entsprechende Konsequenzen seitens des Auftraggebers erfolgen. Dieser hat somit eine entscheidende Rolle. Nur wenn er die Ergebnisse einfordert und den Druck auf das Projektteam hochhält, werden sich die Beteiligten auch an die Vorgaben halten.

Middle-up-down-Strategie

Management-Methode, die auf die mittlere Führungsebene setzt. Die Entscheidungen über Produktionsabläufe und Neuerungen trifft nach diesem Konzept nicht die Unternehmensspitze, sondern das mittlere Management, weil es näher an den Produktionsprozessen und den Mitarbeitern ist und die damit zusammenhängenden Probleme besser versteht.

Ohne die konsequente Vorgabe des oberen Managements funktioniert kein Veränderungsprozess. Oft wird jedoch versäumt, das mittlere Management ausreichend einzubinden. Die berühmte „Lehmschicht" blockiert dann erfolgreich jeglichen Veränderungsansatz. Das Engagement des mittleren Management ist somit das Fundament jeder erfolgreichen Veränderung.

Morphing Office

Aus dem Englischen. Bedeutet, keinen festen Arbeitsplatz zu haben. Die Mitarbeiter setzen sich immer an den zur Zeit freien Arbeitsplatz.

Morphing Office wird immer populärer. Es ermöglicht, mit 30 - 40 % weniger Arbeitsplätzen auszukommen und verhindert Barrierenbildungen. Achten Sie darauf, die Mitarbeiter frühzeitig in diesen Prozess einzubinden. Viele Menschen hängen an „ihren" Schreibtischen und sehen den Verlust des eigenen Arbeitsplatzes als Degradierung.

N

Nerd

Aus dem Englischen: Depp, Trottel. Mittlerweile vor allem eine negative Bezeichnung für einen Computerfreak. Ein Mensch, der begnadet ist mit technischem Verständnis, aber weniger geschickt mit anderen Menschen umgehen kann.

Netiquette

Aus dem Englischen: Verschmelzung von 'Net' (Internet) und 'etiquette' (Benimmregeln). Gemeint ist das respektvolle Benehmen bei der Kontaktaufnahme und Korrespondenz via E-Mail oder in chat rooms.

Network Marketing

Eine Vertriebsform, bei der vor allem die Netzwerke der Mitarbeiter mit einbezogen werden.

Network Marketing ist, wenn es konsequent betrieben wird, eine sehr erfolgreiche Vertriebsform und eignet sich insbesondere für den Vertrieb an Endverbraucher. Die größte Bedeutung hat hier das Prämiensystem für Empfehlungen oder Verkäufe. Dabei haben sich neben den monetären Prämien auch die Sachprämien als preisgünstige Alternative herausgestellt. Die Firma Tupper hat mit den berühmten Tupperparties auf diese Weise ein Weltunternehmen aufgebaut.

O

Organisationsdiagnose

Besonders im Rahmen von Organisationsentwicklungen kann es sehr hilfreich sein, eine so genannte Organisationsdiagnose durchzuführen. Dabei geht es nicht darum, „echte Daten und Fakten" zu ermitteln, sondern vielmehr über Interviews mit den Mitarbeitern und dem Management ein Bild von der Organisation zu bekommen. Es zeigt sich, dass die Ergebnisse erstaunlich nahe an den wirklichen Problemen der Organisation liegen. Anhand der Erkenntnisse können dann Veränderungen eingeleitet werden. Der Vorteil liegt auf der Hand: Durch eine qualitative Untersuchung ist die Diagnose weniger zeit- und kostenintensiv und die Beteiligten fühlen sich stärker in den Prozess eingebunden. Dabei sind folgende Schritte üblich:

Teilschritt	**Vorgehen**
Kontaktphase und Vorgespräche	Erste Orientierung auf beiden Seiten (Organisation und Beratung); Vorentscheidung über eine mögliche Zusammenarbeit
Vereinbarung des Vorgehens	Entwicklung der Arbeitsbeziehung, Kontraktschließung; Problemdefinition; Auswahl der Methoden zur Datensammlung und zum Feedback
Datenerhebung und Aufbereitung	Erhebung des Ist-Zustands mit ausgewählten Methoden der Sozialforschung (Befragung, Einstellungsmessung)
Datenrückkopplung	Rückmeldung der Daten an das Klientensystem (Management und Mitarbeiter); Diskussion (z. B. in Workshops), Sammlung möglicher Diagnoseansätze
Diagnose	Erkennen der inneren Verfassung der Organisation (Stärken, Schwächen)
Maßnahmenplanung und Durchführung	Entwicklung spezifischer Maßnahmenpläne (inkl. Festlegung der Methoden und der Verantwortlichen für Ausführung und Kontrolle)
Erfolgskontrolle	Bewertung der Effektivität; Entscheidung über Abschluss oder Weiterführung der OE-Maßnahme

Der Organisationsberater sollte über ein hohes Maß an Professionalität verfügen. Bei der Beraterauswahl sollten Sie deshalb auf folgende Kriterien achten:

- Klärung der Ziele und der eigenen Bedürfnislage: Welches Know-how wird benötigt, das Sie im eigenen Hause nicht oder nicht im ausreichenden Maße besitzen?
- Hat der Berater die nötige Kompetenz? Kennt er sich mit der speziellen Aufgabenstellung aus? Branchenkenntnisse sind eher zweitrangig, da diese in Ihrem Haus vorhanden sind.
- Hat der Berater einen ganzheitlichen Ansatz und Kenntnisse sowohl im organisatorischen Bereich als auch im Bereich der Unternehmenskultur?
- Welche ähnlichen Projekte hat der Berater durchgeführt? Lassen Sie sich Referenzen nennen. Scheuen Sie sich nicht, dort anzurufen und nachzufragen.
- Lassen Sie sich die Vorgehensweise schildern. Achten Sie auf die Schwerpunkte der Beratung.
- Wer führt den Auftrag durch? Falls nötig, sollten Sie den Ansprechpartner vertraglich fixieren lassen. Sonst haben Sie den Profi eventuell das erste und letzte Mal bei den Akquisitionsgesprächen gesehen und müssen sich während des Projekts mit Newcomern ärgern.

Organisationsentwicklung

Die Lehre, die sich mit der zielgerichteten Veränderung und Entwicklung von Organisationen beschäftigt. Dazu gehört

u. a. Strategieentwicklung, Organisationsdiagnosen und Begleitung von Veränderungsprozessen.

Die Organisationsentwicklung geht von einem mitarbeiterzentrierten Ansatz aus. Zu empfehlen ist sie dann, wenn Sie in Ihrem Unternehmen Veränderungen so gestalten möchten, dass die Mitarbeiter miteinbezogen werden und den Veränderungsprozess auch tragen. Sinnvoll kann es sein, einen Organisationsentwickler, also einen Berater, der Veränderungsprozesse gestaltet, einzubeziehen.

Outperformen

Kunstwort, ans Englische angelehnt: eine bessere Performance abliefern. Der Begriff wird häufig im Zusammenhang mit einzelnen Aktien, einem Fonds oder Börsenindex gebraucht. Beispiel: „Der Dax hat den Nemax in diesem Jahr outperformed."

Outperformer sind auch im Unternehmen wichtig. Achten Sie darauf, dass Sie eine gewisse Anzahl von Mitarbeitern haben, die Leistungsträger sind, und dass deren Leistungen auch honoriert werden.

Outplacement

Aus dem Englischen: systematischer Personalentwicklungsprozess, der sich mit der Freisetzung und Trennung von Mitarbeitern in einem Unternehmen beschäftigt.

Sollte Ihr Unternehmen Maßnahmen zur Personalreduzierung planen, ist es sinnvoll, ein auf Outplacement spezialisiertes Beratungsunternehmen einzuschalten. Dieses kann dann beauftragt werden, die freigesetzten Mitarbeiter im Arbeitsmarkt weiterzuvermitteln.

Outsourcing

Aus dem Englischen: Verlagerung von Leistungsumfängen zu Lieferanten. Das Kerngeschäft und strategisch wichtige Funktionen bleiben in der operativen Kontrolle des Unternehmens. Alles andere ist grundsätzlich für ein Outsourcing geeignet. Sollten Sie daran denken, Leistungen outzusourcen, sollten sie folgende Schritte beachten:

1. Kernkompetenzen ermitteln
2. Auswahl der Leistungen, die outgesourct werden können
3. Erstellung eines Soll-Profils des Ideallieferanten
4. Erstellung eines Pflichtenhefts
5. Sichtung der Lieferanten
6. Erstellen eines Vertragskonzepts (Ausstiegsklauseln nicht vergessen!)
7. Information der Mitarbeiter
8. Implementierung eines Projekts zur Leistungsübertragung an den Lieferanten
9. Regelmäßiges Controlling der Leistungen
10. Review nach einem Jahr

P

Pareto-Analyse

Die Pareto-Analyse eignet sich dazu, Probleme auf ihre Häufigkeit hin zu untersuchen und darzustellen, um daraufhin Maßnahmen zur Beseitigung ergreifen zu können.

Durch die übersichtliche grafische Darstellung innerhalb eines Diagramms erhält man sehr schnell einen Überblick.

Die Pareto-Analyse eignet sich sehr gut, um schnell zu erkennen, wo die Hauptprobleme liegen. Es ist ja bekannt, dass 20% der Probleme in der Regel 80% des Ärgers verursachen. Wenn die also größten Probleme vornehmlich angegangen werden, ist das meiste schon erreicht.

Performance Review

Aus dem Englischen: → Leistungsbeurteilung

PIBKAC

E-Mail-Kürzel: The problem is between keyboard and chair = das Problem liegt zwischen Tastatur und Stuhl. Mit anderen Worten: Der User ist schuld.

Plan-do-check-action (PDCA)

aus dem Englischen: ist ein Vorgehensmodell in Projekten bestehend aus vier Schritten:

- Planen (Plan),
- Umsetzen (Do),

- Überprüfung (Check),
- In der Praxis leben (Action).

Post Merger Integration Management

Das Management nach einem Firmenzusammenschluss (englisch: merger) ist mindestens genauso wichtig wie die Verhandlungen davor, da meistens unterschiedliche Firmenkulturen aufeinandertreffen, die Prozesse in den Unternehmen unterschiedlich sind und die Software vereinheitlicht werden muss.

Es gilt: Keine Fusion ohne Post Merger Integrationsprozess. Seien Sie konsequent bei der Integration der beiden Kulturen. Nichts ist schlimmer für ein Unternehmen als die ständige Auseinandersetzung innerhalb der Organisation. Entfernen Sie schnell die Personen aus der Organisation, die zu lange am Alten festhalten und in den Widerstand gehen. Fördern Sie Teamentwicklungen, bei denen eine konstruktive Auseinandersetzung mit der neuen Kultur ermöglicht wird. Folgende Aspekte müssen entwickelt werden:

- gemeinsame Vision,
- gemeinsame Unternehmensleitsätze,
- gemeinsame Führungsleitsätze,
- gemeinsame Personalprozesse,
- ein gut durchdachter Kommunikationsprozess, der die Entwicklung eines Gemeinsamkeitsgefühls fördert.

PRICE-Methode

Methode, um Projekte strukturiert anzugehen:

- Pinpoint: Ziele beschreiben
- Record: Ausgangssituation beschreiben
- Involve: Mitarbeiter einbinden
- Coach: Umsetzung begleiten und unterstützen
- Evaluate: auswerten und verbessern

Ob mit oder ohne PRICE-Ansatz: Achten Sie darauf, dass Sie Ihre Projekte strukturiert und mit einem vorgegebenen Methodenansatz planen.

Produktentstehungsprozess (PEP)

Prozess, in dem ein neues Produkt im Unternehmen entwickelt wird und die Phasen, die dieses Produkt durchläuft. In der Regel bestehend aus folgenden Meilensteinen:

1. Marktanalyse abgeschlossen
2. Lastenheft erstellt
3. Pflichtenheft akzeptiert
4. Prototyp liegt vor
5. FMEA abgeschlossen
6. Versuch abgeschlossen
7. Produktion aufgebaut und Lieferanten sind lieferfähig
8. Start der Produktion
9. Markteinführung abgeschlossen
10. Optimierung der Serie abgeschlossen

Die Neuentwicklung von Produkten muss in immer kürzerer Zeit stattfinden. Während vor 15 Jahren die Entwicklung eines neuen Fahrzeugs etwa 8 Jahre dauerte, sind heute 4 - 5 Jahre üblich. Dies geht nur, wenn der Prozess über die Entstehung eines neuen Produkts im Unternehmen klar beschrieben wurde und von den beteiligten Bereichen auch so eingehalten wird.

Produktmanagement

Organisationsform, bei der ein Produktmanager die Aktivitäten des Vertriebs, der Entwicklung und Kundenbetreuung produktorientiert koordiniert.

Das Produktmanagement wird je nach Unternehmen unterschiedlich definiert. Es gibt Unternehmen, bei denen der Produktmanager eher der „Oberproduktentwickler" ist und neue Produktideen einbringt und gemeinsam mit den Abteilungen versucht, diese zu realisieren. In anderen Unternehmen sind die Produktmanager verantwortlich für den Umsatz einer bestimmten Produktreihe und eher dem Vertrieb zuzuordnen. Wichtig ist, die Rolle eindeutig zu definieren. Viele Produktmanager leiden nämlich unter einer nicht geklärten Rolle. Hier gilt es in vielen Unternehmen, Transparenz und Klarheit zu schaffen.

Projektmanagement

Der Begriff bezeichnet eine Methode zur Planung und Steuerung von Projekten, bestehend aus Zieldefinition, Projektorganisation, Planungsinstrumenten und Steuerungsmethoden.

Achten Sie darauf, dass bei jedem Projekt folgende Schritte berücksichtigt werden:

1 Beschreibung der Ausgangssituation
2 Zieldefinition mit Messgrößen
3 Risikoanalyse
4 Projektbudget
5 Nutzenbeschreibung und Rentabilitätsrechnung
6 Projektorganisation (Projektleiter, Team und Lenkungsausschuss)
7 Abgrenzung des Projekts: Was ist nicht Bestandteil des Projekts?
8 Projektstrukturierung (Wer macht was?)
9 Meilensteinplanung mit klar messbaren Zwischenergebnissen
10 Terminplanung
11 Klare Regelung im Umgang mit Änderungen im Projekt
12 Klar definierte Berichtswege mit mindestens einem Monatsbericht, der folgende Fragen beantwortet: Was ist neu im Berichtszeitraum? Wo haben wir Probleme? Was ist zu entscheiden?

Projektstrukturplan (PSP)

Der erste wichtige Schritt in der Projektplanung ist der Projektstrukturplan, der die Grundlage für alle weiteren Planungsschritte bildet. Für jedes Projekt ist ein projektspezifischer Projektstrukturplan zu erstellen, der die Aufgaben und

Verantwortlichkeiten festlegt. Er dient als Grundlage zur Steuerung und Verfolgung des Projekts hinsichtlich Terminen, Kosten und Qualität. Mit dem PSP erhält der Projektleiter ein Instrument um,

- die Verantwortungen klar zuzuordnen
- Kostenstrukturen festzulegen
- sich einen Überblick über die anstehenden Aufgaben zu verschaffen
- eine Vorlage für die Dokumentation zu schaffen.

In vielen Projekten wird auf den Projektstrukturplan verzichtet und hauptsächlich der Terminplan erstellt. Ein Plan, der die Aufgabenhierarchie darstellt, ist jedoch sehr hilfreich: Termine ändern sich, die Aufgaben bleiben. Mit dem Projektstrukturplan haben Sie immer die Übersicht über das, was grundsätzlich erledigt werden muss.

Beispiel für einen Projektstrukturplan:

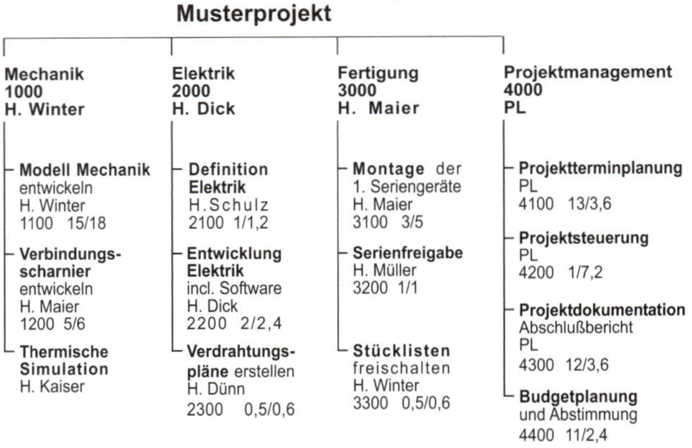

Prosumer

Aus dem Englischen: Verschmelzung aus „Professional" und „Consumer". Gemeint sind Kunden, die zwar Privatanwender sind, aber die Ansprüche eines Profis an das Produkt haben.

Prozessmanagement

Managen der Prozesse eines Unternehmens mit den Schwerpunkten:

- Prozessdefinition
- Prozessbeschreibung
- Prozesssicherstellung
- Prozessauditierung

Viele Unternehmen verbinden das Prozessmanagement mit den Auditierungssystemen, die am Markt vorhanden sind, wie z.B. ISO 9000. Ein bedauerlicher Trend ist, dass unter Prozessmanagment vorwiegend die Prozessbeschreibung und die Prozessauditierung verstanden wird. In Unternehmen, die sich erfolgreich mit dem Thema Prozessmanagement auseinandergesetzt haben, entwickeln Mitarbeiter ein neues Verhältnis zur Arbeit. Wenn Ihre Mitarbeiter verstehen, dass die Prozesse eigentlich das wichtigste im Unternehmen sind, haben Sie schon gewonnen.

Q

Quality Function Deployment (QFD)

Managementmethode mit dem Ziel, Kundenforderungen und Nutzenvorstellungen in die zu entwickelnde Leistung (Produkt, Dienstleistung oder Prozesse) umzusetzen. In diese Qualitätstechnik, mit der in einem mehrstufigen Verfahren Kundenforderungen gewichtet werden, können auch gesellschaftliche Umweltforderungen einbezogen werden. Die Schwerpunkte sind:

- Realisierung der Kundenwünsche im Produkt - es gilt: Maßstab ist der Kunde
- Erhöhung der Kundenzufriedenheit
- frühzeitiges Erkennen von Zielkonflikten und Engpässen
- weniger Probleme und Änderungen nach Produktionsstart

- Vereinfachung der Entscheidungsprozesse bei der Produktdefinition

Im QFD wird eine Matrix erstellt, die die Kundenanforderungen („Was?") den Produktmerkmalen („Wie?") gegenüberstellt und bewertet. Ein Beispiel für einen Pkw:

	Gewichtung	Kaufentscheidung	Gangzahl	Rollwiderstand	Schaltgenauigkeit	Bremsleistung	Wettbewerb
Schönes Design							
Gute Bremsen							
Wohnwagen ziehen							
Einfach lenken							
Viel Platz							
Technische Schwierigkeit							

Achten Sie darauf, in einem frühen Entwicklungsstadium eine QFD durchzuführen. Sie können daraus gut ableiten, welche Kundenwünsche welche Herausforderungen an die Technik und die Qualität des Produkts stellen werden.

Quick wins

Aus dem Englischen: schnelle Gewinne, Erfolge oder Ergebnisse. Der Begriff wird vor allem dann verwendet, wenn es bei einem Geschäft nicht darauf ankommen soll, eine langfristige Basis zu schaffen, sondern schnell einen Ertrag zu erreichen.

Quick-Wins können auch als Etappenziel interpretiert werden. Achten Sie auch in Projekten darauf, dass es Zwischenerfolge gibt - damit können Sie Ihr Team motivieren.

R

Rasenmähermethode

Wie beim Rasenmähen, bei dem einfach alles gemäht wird, werden bei dieser Methode pauschal ein bestimmter Prozentsatz an Mitarbeitern oder Kosten abgebaut.

Bei dieser Methode fühlen sich die Bereiche benachteiligt, die schon in den Vorjahren extrem gespart haben und schon sehr „dünn angezogen" sind. Wenn diese Methode öfters angewendet wird, führt es zu Vorsorgeaktivitäten in den Abteilungen. Jeder wird überhöhte Budgets beantragen, um bei der nächsten Einsparrunde problemlos Kosten reduzieren zu können.

Realignment

Aus dem Englischen: neu zusammenfügen, zusammensetzen. Wird in der Regel bei Veränderungsprozessen (→ Change Management) verwendet.

Das Realignment kann durch folgende Interventionen gefördert werden:

- klare/eindeutige Aussagen der Führung,
- Entwicklung einer gemeinsamen → Vision und Strategie,
- Teamentwicklungen, um Konflikte und unterschiedliche Positionen in Teams aufzuarbeiten,
- → Corporate Identity-Maßnahnem.

Retention Management

Aus dem Englischen: retention = Einbehaltung, Zurückbehaltung. Gemeint ist die Mitarbeiterbindung, d. h. der Zweck des Retention Management besteht in der Ausarbeitung von Maßnahmen, die dem Zweck dienen, Mitarbeiter an das Unternehmen zu binden, so genannte Mitarbeiterretentionprogramme.

Selbst in Zeiten, in denen man eigentlich davon ausgehen kann, dass Mitarbeiter froh sind, einen Arbeitsplatz zu haben, kann es Sinn machen, sich mit dem Retention Management zu beschäftigen. Denn insbesondere die besten Mitarbeiter eines Unternehmens sind oft geneigt, Fremdangebote anzunehmen. Für diese spezielle Gruppe (oft im mittleren Management ansässig) sollten Firmenbindungsprogramme aufgelegt werden.

Reverse engineering

Aus dem Englischen. Unter diesem Begriff versteht man die Entwicklung eines Produkts anhand einer klaren Marktvorgabe z. B. bezüglich Preis, Design, Funktionalität (englisch: reverse = rückwärts). Man lässt somit nicht dem Entwickler freie Hand, ein Produkt so zu entwickeln, wie er es sich vorstellt, sondern gibt ihm klare Ziele.

Roadmap

Aus dem Englischen: Straßenkarte. Im Speziellen ist dies allerdings die Bezeichnung für einen Marketingplan. Auf der Roadmap sind sämtliche Projekte und Aktivitäten des Marketing aufgelistet.

Letztlich ist die Roadmap nichts anderes als ein Projektplan - der Begriff klingt nur etwas besser.

S

Shareholder Value-Ansatz

Aus dem Englischen. Die Ausrichtung des Unternehmens auf die Interessen der Aktionäre.

Dabei geht es vor allem darum, den Ertrag der Aktionäre zu verbessern. Die primären Interessen der Aktionäre sind Wertzuwachs der Aktie und hohe Dividende. Unternehmen, die sich ausschließlich an den Aktionären ausrichten, unterliegen nämlich der Gefahr, zu viel Dividenden zu zahlen und zu sehr in kurzfristigen Erfolgen zu denken (guter Quartalsbericht / gutes Jahresergebnis), um dadurch den Aktienkurs positiv zu beeinflussen. Langfristige Investitionen werden dabei eher unterdrückt. Unternehmen können somit langsam „austrocknen".

Six Sigma

Six Sigma ist eine statistische Größe, die benutzt wird, um einen Null-Fehler-Status zu beschreiben bzw. festzulegen, wie nahe man nach Expertenschätzung an diesen Zustand herankommen kann. Six Sigma bedeutet 3,4 Ausfälle bei 1 Million Möglichkeiten oder einem Qualitätsgrad von 99,9997 %.

Traditionell haben Firmen 99 % als ausreichend betrachtet. Doch 90 % Qualitätsgrad sind im Gesamtkontext ungenügend, da dies z. B. bedeuten würde, dass täglich Zehntausende von Briefen verloren gehen oder jede Woche ein Dutzend Flugzeuge vom Himmel fallen würden. So wurde 1987 bei Motorola Inc. Six Sigma als Qualitätsstandard eingeführt. Ein Qualitätsgrad von Six Sigma wird inzwischen in vielen Unternehmen als unumgänglich angesehen. Six Sigma betrifft nicht nur die Produktqualität selbst, sondern schließt die Fehlerfreiheit aller indirekten Prozesse mit ein.

Die Grundauffassung: Qualität ist etwas, was auf allen Ebenen eines Unternehmens praktiziert werden muss. Das Management muss erkennen, dass gegenwärtig praktizierte

Qualitätsstandards ungenügend sind und dieses Bewusstsein muss sich durch die gesamte Organisation ziehen. Dabei konzentriert sich Six Sigma auf zwei Schwerpunkte:

- Identifizierung potenzieller Fehlerquellen auf Basis jedes Arbeitsschritts und Verringerung der Wahrscheinlichkeit, dass diese Fehler auftreten können.
- Vermeidung unnötiger Arbeitsschritte.

Wie viele Managementmethoden lebt Six Sigma von der Einstellung der Mitarbeiter. Bei der Einführung von Six Sigma ist deshalb der philosophische Aspekt der Qualität, der in manchen Unternehmen schon fast religiösen Charakter hat, besonders wichtig. Die Mitarbeiter sollen erkennen, dass Qualität eine „Lebensaufgabe" ist und immer wieder neu auf dem Prüfstein steht.

Simultanous engineering (SE)

Aus dem Englischen: paralleles Arbeiten von Entwicklung, Versuch, Arbeitsvorbereitung und Produktion im Rahmen der Produktentwicklung.

Versuchen Sie zu verhindern, dass sich der Einkauf oder die Produktion erst dann mit der Neuentwicklung beschäftigt, wenn der Prototyp auf dem Tisch ist. SE kann in Projektform oder als permanente Organisationsform installiert werden. So genannte PIF-Teams (Permanent - Interdisziplinär – Funktionsübergreifend) können den Entwicklungsprozess um ein Vielfaches beschleunigen.

Situative Führung

Das Modell von Hersey & Blanchard gibt normative Hinweise, wie der Führungsstil auf die spezifische Mitarbeitersituation angepasst werden sollte. Der Grundgedanke diese Modells besteht darin, dass unterschiedliche Qualifikation und Motivation von Mitarbeitern natürlich auch unterschiedliches Führungsverhalten erfordern. Ein bestimmtes Führungsverhalten soll Mitarbeiter dabei immer unterstützen und nicht behindern oder frustrieren.

Wenn eine Führungskraft beispielsweise einen hoch qualifizierten und motivierten Mitarbeiter sehr eng führt, wird das in der Regel beim Mitarbeiter Frustration auslösen. Die Delegation von Zielen und groben Aufgaben wird hier ausreichen, dann kann man den Mitarbeiter alleine „laufen" lassen, ihm für Fragen zur Verfügung stehen, sich nur zu vereinbarten Zwischenmesspunkten um ihn kümmern und ihm Rückmeldung geben. Diesen Führungsstil könnte man als delegativ, im Extremfall sogar als laisser-faire bezeichnen. Mitarbeitergerecht zu führen bedeutet also, den Qualifikations- und Motivationsgrad (Können und Wollen) der Mitarbeiter bezüglich bestimmter Aufgaben und Ziele einzuschätzen und das eigene Führungsverhalten situativ darauf abzustimmen.

Hersey & Blanchard beschreiben das Führungsverhalten anhand von zwei Faktoren:

- Aufgabenorientierung: Dies bedeutet, eine bestimmte Aufgabe oder ein Ziel eindeutig zu definieren, zu strukturieren, relevante Informationen bereit zu stellen, die Erfolgskriterien festzulegen, den Weg zur Erfüllung auszuarbeiten und fachliche Hilfestellungen zu leisten.

- Mitarbeiterorientierung (auch Beziehungsorientierung): Dies bedeutet, emotionale Blockaden beim Mitarbeiter zu lösen, eine positive Beziehung und damit gegenseitiges Vertrauen aufzubauen, den Mitarbeiter zu motivieren, sein Selbstvertrauen und seine Identifikation mit der Aufgabe zu fördern.

Grafische Darstellung der situativen Führung:

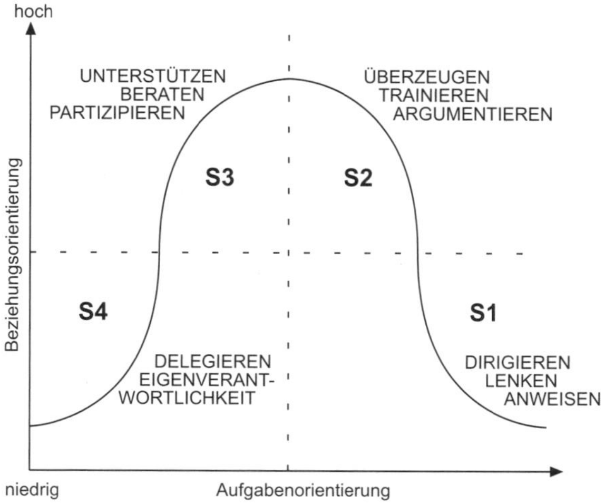

Bei den 4 Führungsstilen gilt folgendes zu beachten:

Beziehungsorientiert:
Ziele und Aufgaben werden klar definiert. Darüber hinaus wird möglichst wenig vorgegeben. Die Akzeptanz und Identifikation mit den Zielen wird gefördert, indem die Ideen des Mitarbeiters diskutiert werden und vereinbart wird, wie er seine Ziele erreichen kann. Die Führungskraft widmet sich den Fragen, Unsicherheiten und Bedenken des Mitarbeiters. Er erhält Gelegenheit über seine Probleme und seine Situation zu sprechen. Die Führungskraft hört aktiv zu und gibt Impulse.

Gespräche werden durch Fragen geführt. Die Hauptgesprächsanteile liegen beim Mitarbeiter. Entscheidungen trifft der Mitarbeiter nach Rücksprache mit der Führungskraft selbst. Unsicherheiten des Mitarbeiters werden ausgeräumt durch offenes Feedback (insbesondere Anerkennung und Lob), Hervorheben der Stärken des Mitarbeiters in Bezug auf die Aufgabe, Reflexion der Zielerreichung in angemessenen Abständen.

Integrativ:
Ziele und Aufgaben werden klar definiert und strukturiert. Akzeptanz und Identifikation des Mitarbeiters werden weiter ausgebaut, indem ein Dialog über die Aufgabe als solches zugelassen wird. Auf Fragen, Bedenken und Widerstände wird eingegangen. Die Führungsskraft hat ein offenes Ohr für die Probleme des Mitarbeiters und hört aktiv zu. Entwicklung des Mitarbeiters durch Analyse der notwendigen Lernziele (Wissen, Fertigkeiten, Einstellungen etc.) in Bezug

auf seine Aufgaben und Ziele sowie Vereinbarung gezielter Lernmaßnahmen und effizienter Lernwege (z. B. gezieltes Feedback, Coaching und Unterstützung des Mitarbeiters). Kontrolle des Lernfortschritts.

Delegativ:
Ziele und Aufgaben werden vereinbart. Mittel und Wege bestimmt der Mitarbeiter eigenverantwortlich. Für schwierige Themen entwickelt der Mitarbeiter selbst Lösungen.

Der Mitarbeiter hat klare Verantwortungsbereiche, die er selbstständig führt. Er muss das Gefühl haben, dass die Führungskraft als Ansprechpartner bei Problemen da ist. Ab und zu ein kurzes Gespräch ohne große Diskussion („Wie geht's?"), um Interesse und Bereitschaft zu signalisieren. Reflexion der Zielerreichung in größeren Abständen (Ergebniskontrolle). Lob auf keinen Fall vergessen!

Service Level Agreement (SLA)

Aus dem Englischen: Vereinbarung über zu liefernde Leistungsumfänge. Wird auch innerbetrieblich immer stärker verwendet, um den Leistungsaustausch zwischen den Abteilungen zu dokumentieren.

Neben den positiven Aspekten innerbetrieblicher SLAs, wie z. B. klarere Budgets und die Übersicht über den Leistungsaustausch zwischen den Abteilungen, können SLAs in Unternehmen auch eine starke Bürokratie auslösen. Stellen Sie sich vor, Sie rufen in der Nachbarabteilung an und der Kollege verbucht gleich einmal 10 Minuten auf Ihre Kostenstelle oder beantwortet Ihre Frage erst, wenn er weiß, wo er seine Aufwände verbuchen darf. Überlegen Sie sich deshalb genau, wann ein Aufschreiben der Leistungen sinnvoll ist und wann es mehr Aufwand als Nutzen erzeugt. Sie können SLAs auch gröber definieren, indem Sie „pauschal" jedes Jahr einen Budgetrahmen festlegen, der den Leistungsaustausch zwischen den Abteilungen definiert. Dies ist in vielen Fällen ausreichend.

Ship to line

Aus dem Englischen: Lieferung direkt in die Fertigung, Montage.

Ship to stock

Aus dem Englischen: Lieferung ohne Eingangskontrolle an Lager.

Soft Skills

Weiche Fähigkeiten nennt man die sozialen Kompetenzen eines Mitarbeiters, also Kommunikations- und Konfliktverhalten oder Teamfähigkeit. Durch das Zunehmen von Teamarbeit werden Soft Skills immer wichtiger. Gleichzeitig verlangt der Arbeitgeber aber nach wie vor Hard Skills, also Fachkompetenz. Hier eine Liste typischer Soft Skills:

- Selbstorganisation und Zeitmanagement: Bin ich gut organisiert?
- Analytik: Kann ich Probleme schnell erfassen?
- Urteilsvermögen: Kann ich schnell erkennen, was zu tun ist?

- Kreativität: Kann ich neue Wege finden?
- Eigeninitiative/Engagement: Handle ich proaktiv?
- Motivation: Kann ich mich selbst und andere motivieren?
- Ausdrucksvermögen: Wie kommuniziere ich?
- Teamfähigkeit: Kann ich mich gut in eine Gruppe integrieren?
- Beziehungsgestaltung mit Kollegen: Kann ich mit Kollegen gute Arbeitsbeziehungen eingehen?
- Konflikt- und Kritikfähigkeit. Bin ich fähig, Kritik aufzunehmen und daraus zu lernen?
- Ziel- bzw. Ergebnisorientierung: Denke und handle ich ergebnisorientiert?
- Selbstsicherheit: Wie wirke ich auf andere?
- Verantwortungsbewusstsein: Handle ich immer besonnen und verantwortungsbewusst?
- Loyalität: Bin ich integer?
- Fähigkeit, Mitarbeiter zu führen (informelle Führung): Werde ich schnell als informeller Führer von meinen Kollegen anerkannt?
- Lernbereitschaft: Entwickle ich mich ständig weiter und bin ich bereit dazuzulernen?
- Ausdauer: Habe ich Durchhaltevermögen?
- Veränderungsbereitschaft: Bin ich flexibel und veränderungsbereit (bezogen auf die Aufgabe oder auch auf das soziale Umfeld)?
- Risikobereitschaft: Bin ich bereit, Entscheidungen zu treffen?

- Politischer Sachverstand: Kann ich mit Widerständen umgehen?
- Visionskraft: Kann ich Menschen für eine Idee begeistern?

Es gibt sehr gute Tests, die das Persönlichkeitsprofil eines Mitarbeiters ermitteln können. Es ist empfehlenswert, bei wichtigen Positionen einen solchen Test im Rahmen der Bewerberauswahl durchzuführen.

SOHO

Small Office / Home Office, aus dem Englischen: Kleine Büros oder Heimbüros.

Spin-off

Ausgliederung und Verselbstständigung einer Abteilung oder eines Unternehmensteils aus einem Unternehmen.

Stakeholder

Aus dem Englischen: Beteiligter. Unter dem Begriff werden alle Personen, sozialen Gruppen und Institutionen zusammengefasst, die konkrete Interessen an einem Unternehmen haben und diese Interessen in Form von Ansprüchen formulieren. Hierzu zählen z. B. Mitarbeiter, Aktionäre, Banken, Kunden, Lieferanten, Staat, Gewerkschaften, Verbände.

In vielen Unternehmen entsteht eine Diskussion über die Priorisierung der Stakeholder. Im → Shareholder Value-Konzept z. B. steht der Aktionär an erster Stelle. Porsche hingegen hat beispielsweise folgende Priorisierung kommuniziert:

- Kunde
- Mitarbeiter
- Lieferanten/Partner
- Aktionäre

Stilgruppe

Stilgruppe ist eine Neudefinition der Zielgruppe. In der individualisierten Gesellschaft lassen sich Menschen nicht mehr einfach nach Alter und Geschlecht in Zielgruppen einteilen. Mit den Stilgruppen versuchen Marketingexperten ein differenzierteres Bild zu zeichnen. Sie suchen z. B. nach bestimmten Wertvorstellungen oder Lebensstilen, die Menschen über Alters- oder Schichtgrenzen hinweg verbinden.

Strategieentwicklung

Die Entwicklung einer Strategie und deren Implementierung ist eine der wichtigsten Managementaufgaben. Bei einem Strategieentwicklungsprozess sind folgende Schritte zu beachten:

Phasen	Zentrale Leitfragen und Maßnahmen
1. Vision/ Leitbild	▪ Wo kommen wir her? ▪ Wer sind wir und was wollen wir sein? ▪ Wo wollen wir hin?
2. Definition der Kernge- schäfte	▪ Kerngeschäfte sind alle wertschöpfenden Beiträge. ▪ Welche Projekte, Prozesse und Kunden sowie Geschäftsbereichs-/ Wertstrate- gien haben Einfluss auf unser Geschäft? ▪ Welche strategischen Entwicklungen wirken sich auf uns aus? ▪ Was ist unser Beitrag zur Wertschöp- fung? ▪ Welche Bedeutung hat unser Bereich innerhalb des Unternehmens? ▪ Für wen wollen/ müssen wir tätig sein? ▪ Wer sind unsere Leistungsnehmer und interne/ externe Wettbewerber?
3. Umfeld- analyse	▪ Wie werden sich die uns beeinflussenden Bereiche verändern? ▪ Welche Auswirkungen haben diese Ver- änderungen für unseren Bereich? ▪ Entwicklung von relevanten Kriterien, die Einfluss auf unser Kerngeschäft haben, z.B. Nachfrage der Leistung, Interessen- gruppen (MA, Kunden), Markt und Kon- kurrenz, Technologieentwicklung, Spar-

Phasen	Zentrale Leitfragen und Maßnahmen
	ten-/ Funktionsstrategie ▪ Entwicklung eines Portfolios ▪ Entwicklung eines Chancen- und Gefahrenprofils
4. Interne Stärken- und Schwächenanalyse	▪ Was sind unsere Stärken, was können wir bereits? ▪ Wo sehen wir Schwachstellen/ Veränderungsbedarf, z.B. bezogen auf Qualifikation der MA und FK, Ressourcen, unsere Struktur/ Organisation, unsere Abläufe/ Prozesse?
5. Erarbeitung der Grundstrategie	▪ Was sind unsere zentralen Herausforderungen? ▪ Auf welche Fragen/ Probleme müssen wir Antworten finden? ▪ Wo steckt Handlungsbedarf, wo müssen wir aktiv werden? ▪ Was ergeben sich daraus für Zielsetzungen? ▪ Was sind die Erfolgsfaktoren und Gütekriterien?

Entwickeln Sie Ihre Strategie nicht im „stillen Kämmerlein". Eine Strategie lebt von ihrer Akzeptanz. Je mehr Menschen Sie in die Entwicklung der Strategie einbinden, desto eher wird sie verstanden und damit auch von den Mitarbeitern verinnerlicht.

Stretch-Goal

Aus dem Englischen: überhöhte Zielvorgabe. Nach dem Motto: „Verlange mehr als du erwartest, dann bekommst du das, was du wolltest."

Supply Chain Management

Diese spezielle Form des Managements ist verantwortlich für die Organisation und den reibungslosen Ablauf der Liefertätigkeiten zwischen dem Unternehmen, seinen Lieferanten und seinen Kunden. In einer Zeit, in der die Eigenfertigung immer geringer wird und immer mehr von Zulieferunternehmen gefertigt und geliefert wird, ist das Managen der gesamten Zulieferkette von zunehmender Bedeutung. Ziel ist die Optimierung des Prozesses von den Lieferanten bis zum Endkunden. Supply Chain Management beinhaltet das Managen und Optimieren von:

- Ladungsträgern
- Transportwegen
- Lagerung
- Bestell- und Fakturierungsprozessen
- Qualitätsprüfung
- Abstimmung der Fertigungsprozesse

Supply Chain Management funktioniert nur, wenn die Lieferanten bereit sind, sehr eng zu kooperieren. In der Regel sind die besten Ergebnisse zu erzielen, wenn die Fertigungsprozesse optimal aufeinander abgestimmt sind. Achten Sie somit darauf, schon bei Vertragsabschlüssen mit Lieferanten das Thema „Optimierung der Supply Chain" aufzunehmen. Dies bedeutet, dass Sie Zugang zur Fertigung des Lieferanten haben müssen und dass Sie gemeinsam mit dem Lieferanten an Konzepten zur Optimierung der Prozesskette arbeiten.

SWOT-Analyse

ist eine Technik der Strategieplanung. Dabei geht es darum, ein Vorhaben nach

- Strengths / Stärken
- Weaknesses / Schwächen
- Opportunities / Chancen / Gelegenheiten
- Threats / Gefahren / Risiken

zu beurteilen. Das systematische Aufbereiten der Vor- und Nachteile, die das Projekt mit sich bringt, erleichtert in der Regel die Entscheidungsfindung und reduziert Fehlentscheidungen. Lassen Sie bei jedem neuen Projekt eine SWOT-Analyse durchführen. Bitten Sie auch weitere Experten um ihre Meinung zu dem Vorhaben. Dies verhindert, dass Sie wesentliche Risiken unterschätzen. Besonders bei den Risiken empfiehlt sich außerdem, deren Analyse in Eintrittswahrscheinlichkeit und Konsequenzen zu verfeinern. Insbesondere für die Risiken mit hoher Eintrittswahrscheinlichkeit und hoher Konsequenz für das Unternehmen sollten entsprechende Gegenmaßnahmen erarbeitet werden.

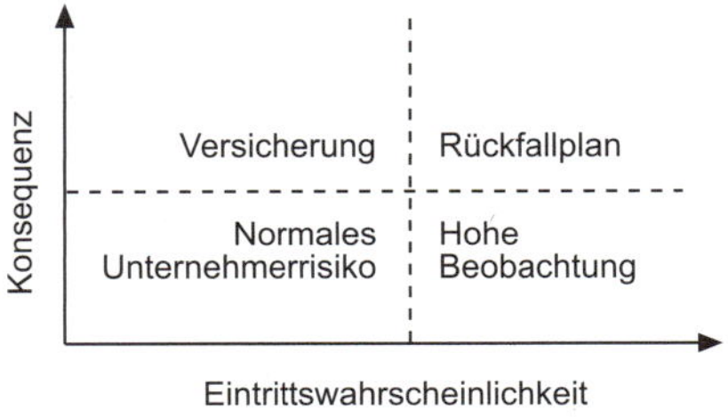

T

Target Costing

Die Zielkostenrechnung ist ein Preismanagement, bei dem die Preise nicht nach Kosten, sondern nach Marktbedingungen festgelegt werden. Normalerweise errechnen sich die Abgabepreise eines Unternehmens nach den für die Herstellung aufgewendeten Kosten. Diese werden summiert und mittels Kostenrechnung wird der Verkaufspreis ermittelt. Dagegen arbeitet Target Costing von vornherein mit jenen Preisen, die am Markt erzielt werden können und richtet danach die Kostenstruktur für die Entwicklung und die Produktion. Dabei sind folgende Fragen zu beantworten:

- Welcher Preis ist am Markt akzeptabel?
- Wie sieht die Preisgestaltung der Konkurrenz aus?
- Wie kann der Zielpreis mit den Kosten vereinbart werden? Gerade bei dieser Frage greift Target Costing auch als Kostensenkungsmanagement. Wird der Zielpreis festgelegt, richtet sich danach auch das Kostenmanagement,

das bereits bei der Konstruktion beginnt. Target Costing ermöglicht eine marktgerechtere Kostenstruktur und mobilisiert im Unternehmen Kostensenkungsprogramme.

Achten Sie darauf, dass Sie bei der Entwicklung eines Produkts nicht nur den Fokus auf den Kosten haben. Wie bei jedem Projekt, gibt es eine Zielkonkurrenz zwischen Kosten, Qualität und Terminen. Wenn der Druck nur auf den Kosten liegt, ist das Risiko groß, dass z. B. an der Qualitätsschiene zu stark geschraubt wird.

Teamentwicklung

Systematische Bearbeitung des Konfliktpotenzials und Förderung des Ressourcenpotenzials eines Teams. Dazu gehören Maßnahmen, die die Zusammenarbeit in einem Team fördern. Die kann durch den Fokus auf die folgenden drei Ebenen stattfinden:

- Strategie: Wo wollen wir hin? Was sind unsere Ziele? Haben wir ein gemeinsames Verständnis unserer Strategie?
- Struktur: Sind wir als Gruppe richtig aufgestellt? Haben wir die richtigen Prozesse? Sind die Rollen im Team klar definiert?
- Kultur: Wie arbeiten wir zusammen? Sind die Beziehungen im Team in Ordnung?

Es hat sich als sinnvoll herausgestellt, einen unabhängigen Moderator in die Teamentwicklung einzubinden. Dieser dient sozusagen als Katalysator für das Team und bringt – wenn er gut ist – die wichtigen Themen auf den Tisch. Oft werden Teamentwicklungen als Eingeständnis von Problemen gesehen. Dies ist jedoch nicht so. Teams brauchen in bestimmten Abständen - ähnlich wie Fahrzeuge - einen „Kundendienst". Es ist deshalb sinnvoll, ein- bis zweimal pro Jahr ein Zeitfenster einzuplanen, in dem man sich mit seinem Team zu den drei Themen (Strategie, Struktur und Kultur) Gedanken macht.

Think Tank

Aus dem Englischen: Denkfabrik. Mit diesem Begriff werden Technologie- oder Forschungsabteilungen bezeichnet, die sich mit neuen Trends beschäftigen, oder eine Arbeits- oder Projektgruppe, die zur Erarbeitung kreativer Lösungen eingesetzt wird.

Achten Sie darauf, dass die Forschungsabteilungen den Draht zur operativen Entwicklung nicht verlieren. Als sehr positiv hat sich die → Job-Rotation mit den Entwicklungs- bzw. Konstruktionsabteilungen herausgestellt.

Total Quality Management (TQM)

Ganzheitliches Qualitätsmanagement in Unternehmen. Grundprinzipien des TQM sind die Kundenorientierung, die Prozessorientierung sowie das Managementverhalten. Damit diese Prinzipien Erfolg bringen, müssen sie unternehmensindividuell eingesetzt werden.

Kundenorientierung bedeutet:

- Kundenanforderungen systematisch ermitteln und im Unternehmen umsetzen
- Kundenzufriedenheit regelmäßig ermitteln
- Ergebnisse der Kundenzufriedenheitsuntersuchung als Grundlage für die internen Kunden-Lieferanten-Gespräche verwenden

Prozessorientierung bedeutet:

- Prozesse und Prozessketten bestimmen / aufzeichnen
- Prozessverantwortlichkeit festlegen
- Kunden-Lieferanten-Übergänge ermitteln und Anforderungen klären
- Prozessbeherrschung herstellen
- Prozessregelung betreiben

Viele Unternehmen haben versucht, TQM einzuführen, leider oft mit mäßigem Erfolg. Dies liegt nicht an den Methoden und Instrumenten, sondern meist daran, dass das Vorhaben nur halbherzig verfolgt wurde. Es gilt der Grundsatz: Ganz oder gar nicht!

Traineeprogramm

Gemeint ist damit ein spezielles Einarbeitungsprogramm für junge Nachwuchskräfte im Unternehmen. Neben einem internen Weiterbildungsprogramm ist es dabei das Ziel, die Mitarbeiter verschiedene Bereiche durchlaufen zu lassen. Dies gibt ihnen einen guten Überblick über das Unternehmen.

Meistens werden sehr hohe Anforderungen an die Traineekandidaten gestellt (internationale Ausbildung und Potenzial einer Nachwuchsführungskraft). In vielen Unternehmen sind aber für die Absolventen eines Traineeprogramms keine entsprechenden Stellen vorhanden. Deshalb verlassen viele dieser Mitarbeiter das Unternehmen. Achten Sie also darauf, dass Sie nur Trainees ausbilden, die auch zu den hinterher zur Verfügung stehenden Stellen passsen.

U

Unfriendly take over

Aus dem Englischen: feindliche Übernahme der Mehrheit eines Unternehmens gegen den Willen des Managements.

Das Management des übernommenen Unternehmens versucht meistens in den Monaten vor der Übernahme, den Übernehmenden als „Feind" darzustellen. Die Mitarbeiter sind deshalb meistens sehr negativ eingestellt. Oft sind die anstehenden Integrationsprozesse mühsam oder scheitern. Dabei sind folgende Prämissen hilfreich:

- Tauschen Sie einen Teil des Managements aus und besetzen Sie die Schlüsselpositionen mit Befürwortern der Übernahme.
- Starten Sie einen → Post Merger Integration (PMI) Prozess.

Unique Selling Proposition (USP)

Aus dem Englischen: Alleinstellungsmerkmal, einzigartiges Verkaufsversprechen, das ein Produkt gegenüber anderen auszeichnet und nicht ohne weiteres von der Konkurrenz kopiert werden kann. In Umlauf gebracht wurde der Begriff 1960 von Rosser Reeves in seinem Buch „Reality and Advertising“. Ein USP kann ein Produkt, eine Leistung, ein Prozess oder bestimmte Fähigkeiten von Mitarbeitern sein.

Jedes Unternehmen sollte nach Alleinstellungsmerkmalen streben. Denn nur USPs ermöglichen überdurchschnittliche Erträge.

V

Value Chain Management

Aus dem Englischen. Der Versuch, dem Kunden ein hochwertiges Produkt zu liefern und dabei gleichzeitig die Kosten so niedrig wie möglich zu halten. Das Value Chain Management beobachtet dazu ein Produkt von der Herstellung über die Verpackung und den Verkauf bis hin zu seiner Entsorgung und sucht nach Einsparpotenzialen.

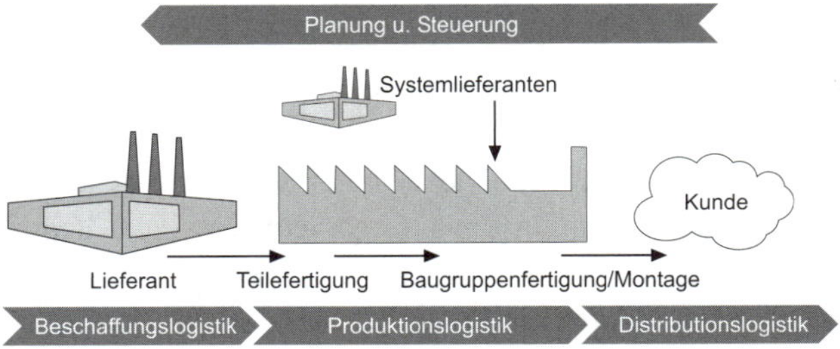

Die value chain macht nicht an der Unternehmensgrenze halt. Ziel ist es, die Kosten über die gesamte Wertschöpfungskette über alle Lieferanten- und Produktionsstufen zu betrachten.

Venture Management

Aus dem Englischen. Davon spricht man, wenn ein Risikokapitalgeber (Venture Capital) nicht nur Kapital mitbringt, sondern einem jungen Unternehmen auch mit Beratungsleistung zur Seite steht und seine Erfahrungen aus der Praxis einbringt. Die Rolle des Venture Managers ist oft diffus. Agiert er als Aktionär, als Geschäftsführer oder als Berater? Dies sollte im Vorfeld geklärt werden.

Virales Marketing

Marketingtheorie, die nicht auf groß angelegte Kampagnen setzt, sondern auf eine Art moderne Mundpropaganda: Wie ein Computervirus soll sich die Information unter den Konsumenten verbreiten.

Vision

Ein lebendiges, positives Bild von einer anstrebenswerten Zukunft. Das motivationsfördernde „Zielfoto" eines Unternehmens oder einer Person. Dabei sind folgende Fragen zu beantworten:

1 Wo kommen wir her?
2 Wer sind wir und was wollen wir sein?
3 Wo wollen wir hin?

Visionen haben heutzutage einen schlechten Ruf. Der Fokus liegt mittlerweile auf dem praktischen Tagesgeschäft. Trotzdem: Als Führungskraft brauchen Sie ein Zielfoto, das klar und kommunizierbar ist. Ob Sie dies Vision oder anders nennen, bleibt Ihnen überlassen.

Volumebundling

Aus dem Englischen: Volumenbündelung. Einkaufs- oder Teileoptimierung. Ziel ist es, Teile zu vereinheitlichen, um größere Mengen einzukaufen.

W

Wertorientierte Führung (WOF)

Managementansatz, bei dem die Erhöhung des Unternehmenswerts im Mittelpunkt steht. Er stellt sicher, dass der Wertbegriff bei der Gestaltung ganzheitlich berücksichtigt wird.

Verpflichten Sie Ihre Führungskräfte, die → Werttreiber Ihres Bereichs zu identifizieren. Diese Werttreiber können Sie dann in die Zielvereinbarung aufnehmen. Die Führungskräfte werden so daran gemessen, wie sie ihre Werttreiber optimieren.

Werttreiber

All jene Faktoren, die das wirtschaftliche Ergebnis maßgeblich beeinflussen und deren Verbesserung zu einer Steigerung des Unternehmenswerts führt.

Jedes Unternehmen hat spezifische Werttreiber. Wenn diese allen Mitarbeitern bekannt sind, werden diese sensibilisiert und achten speziell auf diese Prozesse (→ Wertorientierte Führung). Bei einem Autohaus könnten z. B. die Gebrauchtfahrzeuge eine wichtige Ertragsquelle sein. Wenn allen Mitarbeitern bewusst ist, dass der Verkauf, die Aufbereitung, die Pflege und Lagerung der Gebrauchtfahrzeuge höchste Priorität hat, werden alle gemeinsam daran arbeiten, dieses Geschäft zu optimieren.

Wetware

Wetware bezeichnet den Menschen und sein Gehirn (da der Mensch zu über 90 % aus Wasser besteht), ohne die es keine Hard- und Software gäbe.

Win-Win-Situation

Der Begriff ist aus dem Harvard-Verhandlungsmodell entstanden. Dieses Modell teilt Verhandlungsstrategien in vier Felder auf:

Ziel sollte es immer sein, Win-Win-Situationen zu erzeugen, also Situationen, in denen beide Parteien das Gefühl haben, als Gewinner die Verhandlung zu verlassen.

Win-Win ist etwas anderes als der so genannte Kompromiss. Da jede Partei ja einen klaren Standpunkt hat, sind Win-Win-Situationen in der Regel nur mit kreativen Lösungen, die außerhalb der bisherigen Betrachtung liegen, möglich.

Wühlmausmethode

Methode, bei der verschiedene Teams beauftragt werden, nach Kosteneinsparpotenzialen zu suchen und entsprechende Vorschläge zu unterbreiten. Der erfolgreichste Mitarbeiter wird belohnt.

„Wühlmäuse" haben oft mit Widerständen in der Organisation zu kämpfen, denn Sie möchten ja bisher Verborgenes aufdecken. Die Angst, Kollegen zu schaden, führt deshalb oft dazu, dass die großen Stellhebel nicht benannt werden. Empfehlenswert kann es sein, den internen Teams auch externe Berater zur Seite zu stellen.

X

XYZ-Artikel

Klassifizierung von Artikeln nach ihrer Verbrauchsstruktur. Hieraus ergibt sich dann die Notwendigkeit eines Sicherheitsbestandes.

Merkmale eines X-Teils:
- konstanter Verbrauch
- hohe Vorhersagegenauigkeit
- geringe Sicherheitsbestände

Merkmale eines Y-Teils:
- schwankender Verbrauch
- geringere Vorhersagegenauigkeit
- höhere Sicherheitsbestände

Merkmale eines Z-Teils:
- völlig unkontrollierter Verbrauch
- Vorhersagegenauigkeit ist gleich Null

Die Kombination von ABC-Analyse und XYZ-Analyse ermöglicht eine noch gezieltere Vorgehensweise bezüglich der Disposition von Teilen und wird gerne im Einkauf verwendet, um zu priorisieren, wo besonders großer Handlungsbedarf ist.

	A	B	C
X	o	-	--
Y	+	o	-
Z	++	+	o

++ = erhöhte Bedeutung
+ = hohe Bedeutung
o = normale Bedeutung
- = verminderte Bedeutung
- - = geringe Bedeutung

Y

Yesbutter

Aus dem Englischen, wörtlich: Ja-Aberer. Gemeint ist eine Person, die vordergründig zustimmt, jedoch im gleichen Atemzug Bedenken äußert. Ein Beispiel: „Ich finde den Plan gut, aber vielleicht sollten wir noch weiter prüfen."

Z

Zero Base Budgeting

Aus dem Englischen. Budgetierungstechnik, die nicht vom bestehenden Kostengefüge ausgeht, sondern nach neuen und wirtschaftlicheren Wegen der Leistungserbringung sucht. Ziel ist es, Lösungen oder neue Ansätze zu finden, die die Fixkosten reduzieren. Das Budget einer Abteilung wird bei diesem Ansatz erst einmal auf Null gesetzt. Nun geht es darum, jede Ausgabe neu zu begründen.

Die Technik funktioniert nur, wenn im ersten Schritt wirklich alles gestrichen wird, auch die Raumkosten und die Personalkosten. Die Frage muss lauten: Wenn wir diese Leistung nun neu erbringen müssten, ganz ohne Altlasten, wie würden wir sie erbringen und welche Aufwände hätten wir dann? Das Zero Base Budgeting ist immer dann sinnvoll, wenn die Kosten drastisch reduziert werden müssen. Um wirklich alle Kosten in Frage zu stellen, muss zunächst alles gestrichen und neu „genehmigt" werden. Dies gilt sowohl für Sachkosten als auch für Mitarbeiter.

Zielvereinbarung

Eine Art „Vertrag" zwischen dem Mitarbeiter und seinem Vorgesetzten über die zu erreichenden Ziele im kommenden Geschäftsjahr. Die Zielvereinbarung verfolgt folgenden Zweck:

1. Dem Mitarbeiter bewusst zu machen, worauf er seine Energie richten soll.
2. Zwingt den Vorgesetzten, sich darüber Gedanken zu machen, was er von seinem Mitarbeiter im kommenden Jahr erwartet.
3. Fördert die Kommunikation zwischen Vorgesetztem und Mitarbeiter (mindestens zwei Gespräche pro Jahr, nämlich ein Zielvereinbarungs- und ein Zielerreichungsgespräch).
4. Ermöglicht es, einen variablen Gehaltsanteil messbar zu machen.
5. Ermöglicht eine durchgängige Strategieimplementierung durch die so genannte Zielvereinbarungskaskade: Geschäftsführer mit Bereichsleiter, Bereichsleiter mit Abteilungsleiter, Abteilungsleiter mit Mitarbeiter.

Folgende Fehler werden oft gemacht:

- Es werden keine Zielvereinbarungen, sondern Zielvorgaben gemacht. Dadurch sinkt die Identifikation der Mitarbeiter.
- Es werden zu viele Abteilungs- bzw. Bereichsziele vereinbart. Dies fördert den Abteilungsegoismus. Jeder versucht, gut dazustehen, selbst wenn es auf Kosten der Firma ist. Daher sollten Sie darauf achten, immer auch Gesamtfirmenziele aufzunehmen.
- Oft werden zu viele Ziele vereinbart. Wenn der Mitarbeiter 20 oder 30 Ziele erreichen soll, verliert er den Überblick. Weniger als 10 Ziele pro Mitarbeiter sind ideal.